KB178231

# 알기쉬운

# 작업치료사

알기쉬운
작업치료사

발  행 | 2024년 09월 02일
저  자 | 이민재
펴낸이 | 한건희
펴낸곳 | 주식회사 부크크
출판사등록 | 2014.07.15.(제2014-16호)
주  소 | 서울특별시 금천구 가산디지털1로 119 SK트윈타워 A동 305호
전  화 | 1670-8316
이메일 | info@bookk.co.kr

ISBN | 979-11-419-5455-0

www.bookk.co.kr

작업치료사 선택을 위한 필독서

# 알 기 쉬 운
# 작 업 치 료 사

이민재

## 머리말

작업치료는 단순히 신체적·정신적 기능 회복을 넘어, 사람들의 삶의 질을 향상시키고, 사회에서 독립적이고 의미 있는 삶을 살아갈 수 있도록 돕는 중요한 분야입니다. 저는 오랜기간 동안 작업치료사로서 임상에서 환자들을 치료하며 변화와 성장을 지켜보았고, 현재는 교육자로서 학생들을 지도하며 작업치료의 중요성과 매력을 체감해왔습니다.

"알기쉬운 작업치료사"는 그러한 경험과 지식을 보다 많은 사람들과 나누고자 하는 마음에서 집필하였습니다. 작업치료의 세계는 매우 광범위하고 다양합니다. 이 책은 작업치료사의 역할과 작업치료에 대해 궁금한 것들에 대해 기본적인 이해부터 실무에서의 구체적인 적용에 이르기까지 폭넓은 내용을 다루고 있습니다. 이론적인 내용과 함께 실제 사례를 풍부하게 포함하여 독자들이 작업치료의 실질적인 직업적 특징을 쉽게 이해할 수 있도록 구성하였습니다.

특히, 작업치료에 관심을 가지고 있는 사람들에게 작업치료의 중요성과 가치를 쉽게 이해할 수 있는 나침판 역할을 할 것으로 생각됩니다. 1장에서 작업치료의 소개와 발자취를 소개하였고, 2장에서 작업치료사가 하는 일과 근무하는 분야를 설명하였습니다. 3장에서는 작업치료사가 되기 위한 과정을 언급하였고, 4장에서 작업치료사의 하루 일과를 안내하였습니다. 5장에서는 작업치료 사례를 이야기하였고, 6장에서 작업치료에 관한 궁금한 것들을 소개하였습니다. 이 책을 통해, 작업치료의 놀라운 힘과 가능성을 발견하고 직업에 대한 이해의 폭을 넓혀서 진로 결정에 도움이 되기를 바랍니다.

마지막으로 이 책이 출간 될 수 있도록 따뜻한 관심과 애정으로 격려해주시고 도와주신 많은 분들께 감사의 인사를 드립니다.

저자 이민재

# ►►► 목 차

## PART 1

# 작업치료사란?

# 1. 작업치료사란?

우리나라 보건의료분야 직종은 다양한 전문 의료기사들이 있다. 그 중 작업치료사는 보건복지부의 면허를 취득하여 치료사라는 명칭을 공식적으로 사용할 수 있다. 작업치료란 신체적, 정신적, 그리고 발달 과정에서 어떠한 이유로 기능이 저하된 사람에게 의미가 있는 활동을 통해 최대한 독립적으로 일상생활을 수행하고 능동적으로 사회생활에 참여함으로써 행복한 삶을 영위할 수 있도록 치료, 교육, 중재하는 보건의료의 전문분야이다.

작업이라는 것은 수면 및 휴식, 자조활동, 가사활동, 놀이, 교육, 생산활동, 여가활동, 사회적 참여활동 중 자기 삶을 주도하는 모든 활동이다. 사람이 작업에 참여해 건강과 안녕(wellbeing)을 향상하게 하는 대상자 중심의 보건전문 분야가 바로 '작업치료(Occupational Therapy)'이다.

작업치료사의 주 목표는 환자들을 가능한 최대로 독립적인 일상생활을 수행할 수 있도록 돕는데 있다. 일상생활이라는 것은 수많은 의미있는 작업들로 이루어져 있고 이에 영향을 미치는 요인이 매우 많다. 환자의 신체기능, 인지, 시지각 기능, 언어기능 심리적 측면 등의 내재적인 요소들과 환경과 의지, 습관 등의 외부적인 요소들은 환자의 일상생활에 지대한 영향을 준다. 따라서 작업치료사는 환자의 독립적인 일상생활을 돕기 위해 개인적인 활동을 파악하고 영향을 주는 많은 요인들을 살펴 보아야 할 필요가 있다.

독립적인 일상생활 수행하기 위해서는 환자가 직접 수행하는 실제 환경에서의 접근이 필요하다. 작업치료사는 실제 일상생활을 수행할 수 있는 환경에서 치료를 실시하고 병원뿐만 아니라 환자의 집에도 방문하여 일상생활에 제한이 되는 환경들을 수정, 변경한다.

또한 작업치료사는 환자의 회복을 돕기 위해 해부학적, 생체역학적, 생리학적 문제에 대해서 파악한 다음 그에 가장 적합한 맞춤식 재활 치료를 제공한다. 작업치료는 신경계 작업치료, 근골격계 작업치료, 인지치료, 삼킴장애 치료, 감각통합치료, 직업재활, 운전재활, 보조공학 등 다양한 치료 서비스들이 있다.

작업치료사는 미국, 유럽, 호주, 캐나다에서는 'Occupational thera-pist'라고 부르고, 일본에서는 작업요법사라고 한다. 작업치료사는 보건 전문가로 세계작업치료사연맹에 가입되어 지구촌 모든 나라에서 환자와 장애인들 돕기 위하여 일하고 있다.

## TIP 작업치료사의 자격

- 작업치료사는 3년제와 4년제 대학에서 전문적으로 교육을 받아 국가시험원에서 실시하는 국가 시험을 통해 면허를 받아야 하며 매년 약 2000여 명이 작업치료사 국가시험에 응시하고 있다.

- 한국직업사전에서 작업치료사는 '신체적, 정신적, 사회적 장애를 가진 모든 연령대의 사람에게 일상생활동작, 일, 여가 활동 등 일상적인 생활을 수행할 수 있고, 기능 및 발달 수준을 유지, 발전시킬 수 있도록 의미 있고 목적 있는 활동을 통하여 치료 프로그램을 계획하고 수행한다'라고 정의하였다.

## 2. 작업치료의 발자취

한국에 작업치료가 시작된 것은 1950년 한국 전쟁 후의 재활요원의 증가와 재활치료 수요가 증가하여 도입되었다. 한국 전쟁 후 한국에서는 재활의학이 발전되지 않은 상태였으며 오정희는 1950년 부산에서 종합대학을 졸업하고 1951년 미 8군에서 수련의 과정을 거치고 동래 상이군인 정양원에서 근무하게 되었다. 상이군인 정양원은 국립재활원으로 명칭을 바꾸어 재활치료의 발판을 구축하였다. 이곳의 의무과장을 지낸 오정희는 New York University Medical Center의 재활의학 연구소에서 재활의학 분야를 수료하고 돌아와 한국 재활의학의 중추적인 역할을 하였다. 또한 한국 여성으로 미국에 건너가 한국인 최초로 미국 작업치료사 면허를 취득했던 Esther Park이 한미재단 직원으로 60년대 초 고국에 돌아와 국립재활원에서 오정희와 함께 작업치료사 양성교육을 하면서 1969년 일반인 처음으로 최귀자에게 작업치료를 교육시켜 최귀자가 한국 최초의 작업치료사 면허를 취득하도록 하였다. 197

0년 오정희에 의해 고대 부속병원에 재활의학과가 신설되면서 작업치료실이 개설되었다. 이보다 한국에 먼저 들어온 사람으로는 미국 선교사 Lois Grubb가 대구 동산 병원에서 작업치료를 처음 행했다. 또한 1964년에 삼육재활원에서 작업치료실이 개설되고, 1971년에 Susan Balus라는 수녀가 부산 메리놀 병원에서 작업치료를 실시하게 되었다.

우리나라 작업치료의 최초의 교육과정은 1979년 연세대학교 원주의과대학 보건학과에 설립되었다. 이 당시에는 보건학과 내의 재활의학 기술학 전공자들이 물리치료와 작업치료를 동시에 배우는 제도로 운영하였다. 현재는 전국에 총 62개 대학(4년제 32개 대학과 3년제 30개 대학)에서 매년 약 2,000여명의 신입생을 모집하고 있다. 작업치료사가 되기 위해서는 3년제 혹은 4년제의 대학의 작업치료학과에서 정규교육 과정을 마치고 매년 한국보건의료인국가시험원에서 시행하는 국가시험에 합격하여 보건복지부장관의 면허를 발급받아서 자격을 갖추어야 한다.

2023년까지 작업치료사 면허를 취득한 누적 인원은

25,665명으로 여러 분야에서 환자와 고객에게 독립적으로 일상생활을 수행하고 능동적으로 사회생활에 참여하도록 작업치료 서비스를 제공하고 있다. 작업치료 국가시험은 작업치료학 기초(해부, 생리, 공중보건, 운동/이학적 검사, 감각/인지/지각, 정신/사회, 발달, 전문가 자질), 작업치료학(작업치료 이론, 신경계, 근골격계, 정신사회, 아동·청소년, 지역사회, 직업재활, 노인작업치료), 의료관계법규와 실기시험으로 구성되어있다. 임상실습은 국가시험 전에 마지막 학년 방학 때 8주에서 16주 정도 나가게 되는데 학제에 따라, 학교에 따라 실습기간의 차이가 있다. 실습 장소는 전국의 병원, 보건소, 요양원, 복지관, 발달센터, 학교 등의 실습기관에서 실습을 지도하고 있다.

또한 세계적인 우수한 인력 양성 및 배출을 위해 국내 대학에서 세계작업치료사연맹 교육과정을 도입하여 해외에서 작업치료사로 일할 수 있는 제도를 마련하고 있다. 미국에서는 2016년 12월 168개의 작업치료 교육과정이 있으며 2006년부터 석사과정으로 전환되어, 학사학위 취득 후 작업치료 전공이 개설되어 있는 대학원(Master of Science) 과정을 이수해야 한다. 임상 실습은 최소 1,000시간을 포함해 4학기 또는 5학기에 대학원과정을 이수 하면 작업치료 면허시험 응시자격이 주어진다. 미국외에도 캐나다, 호주, 일본, 유럽 등에서 작업치료 교육과정 인증을 충족한다면 해외 취업을 할 수 있다.

## TIP 작업치료사가 일하는 곳

- 작업치료사는 보건의료 및 사회복지분야에서 장애인, 노인, 아동·청소년들을 대상으로 치료한다.
- 대학병원, 종합병원, 재활병원, 아동병원, 요양병원, 보건소, 복지관, 특수학교, 정신과, 보육기관, 아동발달센터, 치매안심센터, 주간보호센터, 재가복지센터, 장애인운전지원센터, 국민건강보험공단, 근로복지공단, 한국장애인고용공단, 대학연구소, 상담센터 등

병원 작업치료실

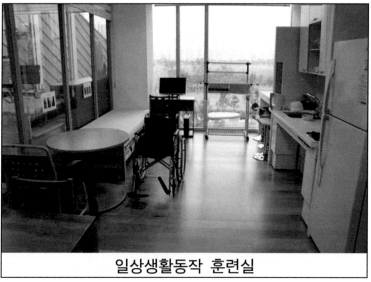

일상생활동작 훈련실

작업치료 도구를 이용한 상지기능 훈련

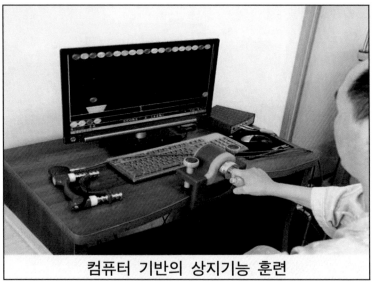

컴퓨터 기반의 상지기능 훈련

# 3. 작업치료사의 업무

대한작업치료사협회는 "작업치료사를 신체적, 정신적 그리고 발달과정에서 어떠한 이유로 기능이 저하된 사람에게 의미 있는 치료적 활동(작업)을 통해 최대한 독립적으로 일상생활을 수행하고 능동적으로 사회생활에 참여함으로써 행복한 삶을 영위할 수 있도록 치료, 교육하는 보건 전문가"라고 정의한다. 작업치료는 건강과 웰빙(wellbeing) 그리고 삶의 질에 영향을 미치는 일상생활의 참여를 돕는 작업수행을 위해 환자의 신체적, 인지적, 심리사회적인 측면을 다루고 있다. 이와 같은 맥락으로 한국직업사전에도 작업치료를 환자의 정신적·정서적 불안 및 질환 또는 신체적 장애를 치료하기 위해 교육, 작업훈련, 레크레이션(recreation) 등의 치료활동을 조직·계획하고 수행하는 직업으로 정의하고 있다. 이처럼 작업이라는 용어는 사람들이 수행하는 다양한 의미 있는 활동들을 포함하고 있으며 환자는 작업수행을 통해 자신의 역할에 대한 의미와 정체성을 찾으며 독립적인 삶을 구성해 나아간다는 의미이다.

최근 개정된 의료기사 등에 관한 법률에 따르면 작업치료사의 업무범위를 "신체적·정신적 기능장애를 원활하게 회복시키기 위하여 일상생활에서 사용하는 물체나 기구를 활용한 일상생활훈련, 감각·지각·활동훈련, 삼킴장애 재활치료, 인지 재활치료, 운전 재활훈련, 직업 재활훈련, 작업수행능력 분석·평가, 작업요법적 치료에 필요한 기기의 사용·관리, 팔보조기 제작 및 팔보조기를 사용한 훈련, 작업요법적 교육"을 수행하는 것으로 규정하였다.

◆ 작업치료사의 업무
- 일상생활훈련
- 감각·지각·활동훈련
- 삼킴장애 재활치료
- 인지 재활치료
- 운전 재활훈련
- 직업 재활훈련
- 작업수행능력 분석·평가
- 보조기 제작

## TIP 작업치료사의 직무

- 상담(정보확인, 욕구파악)
- 환자 평가(계획수립, 운동기능평가, 발달검사, 감각기능평가, 정신기능평가, 일상생활동작평가, 환경요소 평가 등)
- 환자 치료계획(문제확인, 계획수립)
- 환자 치료(운동기능증진, 발달기능증진, 감각기능향상, 정신기능증진, 일상생활동작훈련, 사회기술훈련, 보조기제공, 운전재활, 직업재활 등)
- 교육 및 관리(교육하기, 관리하기)
- 자기계발(연구활동, 전문성향상, 자기관리)

# 4. 작업치료의 과정

우선 작업치료를 하기 위해서는 의사나 다른 영역의 전문가들의 의뢰에 의해 작업치료 서비스가 시작된다. 작업치료 의뢰를 받고 작업치료사는 의뢰된 내용을 준수해야할 책임을 가지게 된다. 의뢰 이후 작업치료 평가를 위해 면담을 실시한다. 면담과 평가를 통해 환자의 목표와 선호도를 파악하고 치료 계획을 세워 목적 있는 활동과 치료적 도구들을 사용하여 작업치료를 제공한다.

치료 계획은 장기 목표와 단기 목표를 설정하여 치료 계획을 설정한다. 몇 주 또는 몇 달간의 치료 후 치료의 효과를 재평가하고 그 결과를 근거로 치료를 계속하거나 변경 또는 중단할 수 있다. 이때 작업치료사는 환자와 가족, 치료팀과 협력하여 다양한 상황에서도 치료목표에 도달할 수 있도록 계획해야 한다. 환자의 수행이 치료목표에 도달할 경우 작업치료 서비스를 종결한다. 이 과정에는 퇴원계획과 이후 치료에 대한 계획, 첫 평가와 마지막 평가를 비교하여 현재 환자의 상태 변화를 확인해야 한다. 작업치료사는 작업치료 과정 동안 환자와 가족 및 팀원들과 협력하기 위해 배려, 평등, 자유, 정의, 존엄, 윤리의식의 태도를 갖추어야 한다.

- 의뢰 : 일반적으로 작업치료 서비스를 받기 위해 처음 의뢰되는 경우를 말한다.
- 선별검사 : 추가적인 평가와 작업치료가 필요한지를 결정하게 된다. 일반적으로 간단히 진행하게 되며 진료기록 등을 검토하여 다른 전문가들의 의견과 정보를 확인할 수 있다.
- 평가 : 평가는 중재를 위한 정보를 습득하고 해석하는 과정으로 평가를 계획하고, 과정과 결과를 기록하는 것이다. 중재를 위해 필요한 자료를 획득하고 해석하는 과정으로 평가는 작업치료사가 클라이언트의 작업력과 현재의 욕구, 우선 사항의 내용을 토대로 작업 프로파일을 작성하면서 시작된다. 평가는 작업 프로파일, 작업수행분석으로 크게 두 부분으로 구분된다.

- 중재계획 : 중재계획을 세울 때 중재 접근 및 전략으로는 환자의 능력의 회복과 확립, 현재의 기능상태 유지, 변형, 적응 또는 보상, 예방과 관련하여 중재계획을 세워야 한다. 중재계획은 환자 중심으로 목표를 설정하고, 환자의 가치와 목표가 가장 우선시되어야 한다. 또한 중재계획에서는 문화적, 사회적, 환경적 요소들도 중재계획에 반영되어야 한다.

- 중재실행 : 평가를 통해 세운 중재 계획에 맞춰 중재를 실제로 실행하는 단계에 해당한다.

- 중재검토 : 재평가를 말하며, 중재계획과 실행 및 목표 결과에 대한 진행을 확인한다. 재평가를 통해 초기 치료 목표 달성 여부를 확인하여 지속적인 치료와 치료 종결을 결정한다.

- 결과 : 결과는 마지막 단계 목표로 설정한 결과에 도달한 정도를 판단하게 된다.

손 기능 평가

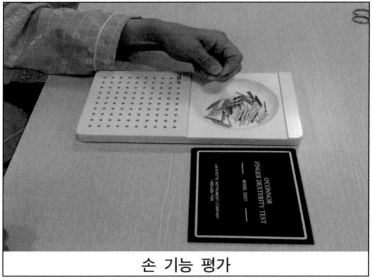

손 기능 평가

## 5. 작업치료사가 치료하는 주요 질환

우리나라의 작업치료 대상 질환은 주로 신경계 질환인 뇌손상 및 척수손상이 가장 많다. 그리고 손 손상, 관절염, 허리통증, 절단 등의 근골격계 질환과 뇌성마비, 지적장애, 발달지연, 주의력 결핍 과잉행동장애 등 아동 관련 질환이 많다. 기타 질환으로 치매, 정신질환, 심폐질환, 삼킴장애, 암 질환들을 치료한다. 임상에서 가장 많이 보는 신경계 질환에 대한 작업치료 목표는 관절가동범위 및 근력 향상, 자세조절, 인지기능 향상, 삼킴기능 향상, 독립적인 일상생활활동이다.

대학교에서 작업치료 주요 질환의 개요와 원인, 진단 및 분류, 임상증상, 치료과정에 대해 배운다. 수업과 교내 실습을 통해 이론을 학습한 후 임상실습 기관에서 작업치료사의 지도하에 실제 환자를 대상으로 관찰, 평가를 실시한다.

최근에는 전국 보건소마다 치매안심센터가 개소하여 인지치료 및 일상생활활동 회복을 위해 작업치료사의 역할이 중요해지고 있다. 또한 산업재해 환자의 직업복귀를 위해 직업재활 훈련과 장애인운전지원센터에서 장애인 운전재활을 위해 작업치료사의 역할이 점점 확대되고 있다. 따라서 작업치료사는 다양한 분야에서 지식과 경험을 쌓아 전문적인 작업치료 서비스를 제공해야 할 것이다.

## TIP 작업치료 주요 질환

- 신경계 질환 : 뇌졸중, 외상성 뇌손상, 척수손상, 파킨슨병, 다발성 경화증, 길랭-바레증후군, 근육위축가쪽경화증 등
- 근골격계 질환 : 손 손상, 관절염, 허리통증, 엉덩관절 전치술, 절단, 화상 등
- 아동관련 질환 : 뇌성마비, 지적장애, 발달지연, 자폐스펙트럼장애, 주의력 결핍과잉행동장애, 염색체 이상, 감각통합장애, 진행성근위축증 등
- 기타 질환 : 치매, 정신질환, 삼킴장애, 심폐질환

# 6. 작업치료 관련 학회

## 1) 대한작업치료학회

작업치료의 학문적 발전을 위해 1993년 창립되어 임상과 학계의 대표적인 학술적 소통의 장으로서 학술대회 및 세미나를 개최하여 작업치료 발전에 힘쓰고 있다. 학술적 전문성과 더불어 임상에서 활동하는 작업치료사들의 임상적 전문성을 함께 도모하고 있으며 국제적 교류를 통해 최신 작업치료 학술적 정보들을 소개하고 있다.

## 2) 고령자치매작업치료학회

우리나라 노인 문제에 대응하기 위하여 고령자 및 치매와 관련된 연구를 수행하고 학술적 발전을 도모하고 있다. 또한 고령사회에 치매전문가로서 주도적인 역할을 수행하고 노인 작업치료 분야의 문제에 대응하는 역할을 수행하고 있다. 복지 관련 전문 인력을 양성하기 위해 인지활동지도사, 복지용구상담사, 아동발달지도전문가 교육과정을 마련하여 진행하고 있다.

## 3) 대한감각통합치료학회

감각통합 치료는 주로 아동을 대상으로 감각입력을 통하여 감각정보를 통합하는 뇌의 기능적 능력을 개선시키는 것이 치료의 목적이다. 이에 뇌의 신경학적인 정보처리 과정의 변화를 연구하고 감각통합치료에 관한 학술 연구 및 교육을 통해 이론의 체계적 정리와 감각통합관련 종사자간의 정보 공유를 통한 감각통합 치료의 발전에 힘쓰고 있다.

## 4) 대한보조공학기술학회

장애인·노인과 같이 신체적 기능에 제한을 가진 많은 사람들에게 일상생활 뿐 아니라 직업 활동에 이르기까지 다양한 영역의 참여를 가능케하여 새로운 삶의 기회를 제공하는데 노력하고 있다. 또한 재활영역에서 보조공학기기 실무의 학술적 발전을 도모하고 보조공학기기를 활용한 작업치료 실무에 대한 연구 활동을 통하여 대외적으로 작업치료의 우수성을 알리고 보조공학 관련 분야에서 작업치료사의 진출을 확대하고 있다.

## 5) 대한신경계작업치료학회

 작업치료 서비스를 받는 주요 질환인 신경계 손상은 작업치료사가 필수적으로 알아야 하는 내용이다. 신경계 손상은 광범위한 손상이 나타나고 개개인에 따라 다양한 양상을 보인다. 이에 신경계 작업치료의 연구를 통해 학술적 발전을 도모하며 다양한 임상적 접근법에 대한 교육을 진행하여 작업치료의 학문적 발전에 기여하고 있다.


## 6) 대한아동학교작업치료학회

 아동과 청소년의 발달, 일상생활 및 학교 적응을 위한 다각적 연구와 교육을 통해 학문적 발전을 도모하고 아동과 청소년의 수준 높은 치료 혜택과 삶의 질 향상을 위해 실질적이고 근거 있는 임상 발전을 위해 노력하고 있다. 또한 아동과 청소년을 위한 전문 작업치료사를 양성하는데 앞장서고 있으며 관련 분야의 정보 공유 및 네트워크를 구성하고 있다.

## 7) 대한연하재활학회

연하란 음식을 삼키는 과정을 일컫는 의학적 용어이다. 음식을 입으로 먹는 것은 인간의 기본적인 욕구이며 큰 즐거움의 하나이다. 이러한 연하장애를 치료하기 위해 작업치료사들이 임상에 근거하여 연하장애 환자의 평가 및 치료를 실시할 수 있도록 다양한 강좌를 통하여 체계적이고 정확한 정보를 전달하며 학회지 발행 등의 다양한 학술 활동을 하고 있다.

## 8) 대한인지재활학회

작업치료의 전문영역인 인지재활 치료의 학문적 발전과 학술적 교류를 활발히 하고 인지재활 치료 전문가들을 체계적으로 양성하고 있다. 작업치료사는 전문적인 인지재활을 교육받고 치매안심센터, 재활병원, 주간보호센터 등에서 인지치료를 시행할 수 있다. 또한 지속적인 연구 활동을 통해 인지재활에 있어서 작업치료적 접근의 임상적 유용성을 검증하고 있다.

## 9) 대한지역사회작업치료학회

우리나라는 낮은 출산율과 평균수명이 늘어나 고령인구가 급속도로 증가하고 있다. 이에 지역사회 작업치료학회에서는 이러한 지역사회에서 발생 되는 사회적 보건의료 문제점을 파악하여 학술 연구을 진행하고 있다. 또한 지역사회 작업치료 실무와 교육을 시행하여 지역사회 보건의료 전문가를 양성하고 있다.

## 10) 워크어빌리티학회

장애 후 신체 및 정신기능 또는 발달과정에 손상을 입은 사람들이 생산적 활동(productive activity)에 참여할 수 있도록 돕는 학회이다. 직업재활은 개인이 노동시장에 진입 즉, 직장복귀 또는 유지할 수 있도록 돕는 제반의 서비스 활동으로 향후 발달장애인, 고령장애인을 대상으로 한 작업능력평가, 작업능력강화, 직업전훈련 등 작업치료 관점에서의 직업재활서비스가 확대될 것이다.

## 11) 한국노인작업치료학회

초고령사회에서 노인들의 건강한 삶을 위한 요구가 현실로 대두되고 있는 시대에서 작업치료를 통해 건강한 노후 복지를 영위할 수 있도록 노인작업치료학회에서 노인과 관련된 다양한 연구를 진행하고 있다. 또한 작업치료사들의 노인작업치료에 대한 전문성을 확보하기 위해 치매전문가교육과 정책세미나를 개최하며 학술지를 발간하고 있다.

## 12) 한국수부치료학회

수부치료는 상지의 기능적인 활동 및 구조에 대한 포괄적인 지식을 기초로 재활치료의 이론을 적용한다. 수부치료에 대한 학술 및 연구 활동을 통하여 수부치료의 질 향상과 전문 인력을 양성하고 있다. 또한 수부치료와 관련된 타 학문 및 국제적인 교류를 통해 대내외적으로 작업치료사의 업무분야와 능력의 우수성을 알리는데 기여하고 있다.

## 13) 한국운전재활학회

장애인에게 있어 운전은 신체적, 사회적 독립뿐만 아니라 직업적 활동과 사회참여를 가능하게 하여 삶의 질 개선에 매우 중요한 역할을 하고 있다. 국내 유일 운전재활 관련 학회로 국내외 다양하고 체계적인 교육과정을 도입하여 국내의 운전재활 전문 작업치료사를 양성하고 있다. 또한 고령 운전자 및 장애인의 운전재활 관련 정책 제안 및 제도 개선에도 힘쓰고 있다.

## 14) 한국작업과학학회

작업치료 영역 내에서 인문·사회·철학 및 과학적 성찰을 기반으로 하는 작업과학 연구의 활성화와 작업치료와 관련된 다양한 분야에 대한 다학문, 학문간 및 초학문의 융합적 교류 및 작업치료와 작업과학의 학문의 발전에 힘쓰고 있다. 작업치료의 핵심인 '작업'에 대한 개인, 사회, 문화적 관점을 연구하고 이를 통해 작업과학을 소개하며 한국의 작업치료 및 작업과학에 대한 고찰을 바탕으로 주체적인 한국작업치료의 기반을 만들고 작업치료 발전에 기여하고 있다.

## 15) 정신건강작업치료사회

정신 보건에 관한 작업치료 임상의 학문적이고 개념적인 기초를 발전시켜나가고 실제적인 임상에 있어서 평가와 치료 기술 발전에 힘쓰고 있다. 전문화된 관련 인접 학문에 대한 새로운 연구방법에 대해서 배우고 정신건강 문제를 가진 소아·청소년·성인 및 가족에게 일상생활과 작업 훈련, 사회 기술과 적응 훈련, 직업 재활 및 심리재활을 통해 사회참여를 촉진하고 삶의 질을 향상시킴으로서 국민정신 건강 증진을 도모하는 데 목적이 있다.

## TIP 작업치료 관련 학회 자격증

- 고령자치매작업치료학회 : 인지활동지도사, 복지용구상담사, 아동발달지도전문가
- 대한감각통합치료학회 : 감각통합치료사
- 대한보조공학기술학회 : 보조공학사
- 대한신경계작업치료학회 : 뇌졸중, 척수손상 전문가
- 대한아동학교작업치료학회 : 아동발달평가사, 인지발달심리상담지도사
- 대한연하재활학회 : 연하재활전문가
- 대한인지재활학회 : 전문인지재활치료사
- 대한지역사회작업치료학회
- 워크어빌리티학회 : 직업능력평가사
- 한국노인작업치료학회 : 인지활동프로그램 전문가, 노인치매 인지건강전문가 등
- 한국수부치료학회 : 수부치료전문가
- 한국운전재활학회 : 운전재활전문가
- 한국작업과학학회
- 정신건강작업치료사회 : 정신건강작업치료사

# PART 2

# 작업치료사가 하는 일

# 작업치료사의 근무기관

작업치료사는 신체적, 정신적, 사회적 장애를 가진 모든 사람에게 일상생활활동, 교육, 일, 놀이와 여가, 사회적 참여 등 일상적인 생활을 돕고 신체기능 및 발달 수준을 유지, 발전시킬 수 있도록 의미있고 목적있는 활동을 통하여 장애 회복을 돕는다.

작업치료사는 대학병원, 종합병원, 재활병원, 정신병원, 아동병원, 요양병원, 요양원 등의 의료 분야와 복지관, 특수학교, 보육기관, 아동발달센터, 치매안심센터, 주간보호센터 등의 사회복지기관에서 근무하고 있다. 병원에서는 재활의학과, 정형외과, 신경외과, 신경과, 소아과, 정신과 등에서 작업치료를 한다. 또한 국민건강보험공단, 근로복지공단, 한국장애인고용공단, 도로교통공단 등의 공공기관에도 취업하고 있다. 국민건강보험공단은 요양직으로 작업치료사가 노인장기요양보험 대상자를 평가 등의 업무를 하고, 근로복지공단에서는 산재요양 환자를 대상으로 재활치료 및 직업복귀 훈련을 하고, 도로교통공단에서는 장애인운전지원센터에서 노인 및 장애인들의 운전재활과 평가 등의 업무를 하고 있다. 또한 노인인구가 증가함에 따라 치매지원 인력으로 보건소 의료기술직 작업치료사로 취업을 확대하고 있다. 교육기관에 관심이 있다면 대학원에 진학하여 석사 또는 박사학위를 취득하고 강사로 근무하거나 작업치료 관련 연구소에서 근무할 수 있다.

작업치료사가 주로 치료하는 대상자는 신경계, 근골격계, 소아과, 피부계통에 질환이 있는 노인, 성인, 아동이다. 작업치료사의 치료범위는 다양한 질병을 가진 환자들을 치료하는데 계속적으로 확대되고 있다.

# 1. 의료 분야

 종합병원에서는 많은 진료과가 있는데 주로 재활의학과에서 작업치료사가 근무하게 된다. 재활의학과 외에도 타과 진료를 통해 재활치료가 필요한 환자들도 치료를 한다. 신경외과, 신경과, 정형외과, 소아과, 정신과, 순환기내과, 피부과 등 작업치료가 요구되는 대부분의 환자들을 치료하고 있다.

 환자가 신체적인 질병으로 병원을 내원하여 재활치료가 요구되면 의사나 전문가들의 의뢰에 의해 작업치료 서비스가 시작된다. 작업치료사는 환자와 면담을 통해 이야기를 듣고 문제를 묻고 대답하면서 환자의 특정 상황을 파악해야 한다. 이러한 평가자료는 작업치료 계획을 세우기 위한 기초가 된다. 면담을 통해 작업치료사는 환자 자신의 역할, 기능장애, 욕구, 목표를 어떻게 생각하는지에 대한 정보를 수집하고, 환자는 재활영역에서 작업치료의 역할이 무엇인지 인식하게 된다. 초기 면담을 통해 작업치료사와 환자와의 관계 형성이 되고 신뢰감을 향상시킬 수 있다. 면담은 사생활이 보호되는

조용한 환경에서 실시한다. 면담을 진행하면서 동시에 환자를 관찰하여 환자의 자세, 걸음걸이, 얼굴표정, 옷, 목소리 톤, 사회적 기술, 행동, 신체 능력을 관찰한다. 또한 작업치료사는 일상생활활동에 어려움이 있는 요소를 관찰하여 혼자서 할 수 있는 활동과 못하는 활동들을 파악할 수 있다. 그 다음 여러 가지 신체적, 정신적 객관적인 평가을 실시한다. 평가 결과를 토대로 장·단기 치료계획을 세워 치료를 시작한다.

일반적으로 환자는 처음에 질병이 발병되면 3차 병원인 상급종합병원에서 약 2개월 정도 입원하여 급성 치료를 받고 2차 병원인 재활요양병원으로 장기간 입원하여 포괄적인 전문 재활치료를 받는다. 재활병원에서는 재활관련 다양한 전문인력이 함께 환자중심 치료를 실시한다. 의사, 간호사, 작업치료사, 물리치료사, 언어치료사, 임상심리사, 사회복지사, 영양사 등 전문인력들이 월 1회 환자 치료에 대한 팀 회의를 진행하고 치료계획을 세운다. 작업치료사는 환자의 상태에 따라 단순작업치료, 복합작업치료, 특수작업치료, 일상생활동작훈련치료, 연하재활 기능적전기자극치료, 연하장애재활

치료, 인지치료, 보조기 제작 등을 선택하여 치료를 시작한다. 환자의 상태 변화를 확인하기 위해 다양한 평가들을 시행하여 치료계획을 유지 또는 재설정을 결정한다.

우리나라 대표적인 재활병원으로는 서울에 위치한 보건복지부 국립재활원이 있다. 이 곳에서 처음 전문재활치료가 시작되어 전국으로 확대되었다. 국립재활원에서는 재활치료 뿐만 아니라 사회복귀지원, 성재활, 운전재활 등 다양한 재활사업도 하고 있다. 사회복귀지원사업은 퇴원 후 최대한 독립적인 일상생활을 유지하기 위해 스마트홈 체험 프로그램 등 지역자원 연계 등의 퇴원준비 프로그램을 제공하고 있다. 성재활은 장애인에게 올바른 성인식을 심어주고, 성재활, 상담, 교육, 치료를 통하여 성생활이 가능하도록 도와주어 장애인의 삶의 질을 높이고 행복한 가정을 만들어 주는 재활치료의 한 분야이다. 운전재활은 장애인의 독립적인 이동성을 확보하여 직업복귀와 사회참여를 가능하게 하는 매우 중요한 역할을 하고 있다.

정신질환자의 일상생활 기능 회복과 유지를 위해 정

신건강전문요원인 작업치료사가 정신병원 또는 정신재활시설에서 근무하고 있다. 정신질환은 정신병, 인격장애, 알코올중독, 약물중독, 신경발달장애, 조현병, 스펙트럼장애, 양극성장애, 우울장애, 불안장애를 포함한다. 작업치료사는 주로 정신재활 프로그램과 직업재활 업무를 담당한다. 정신재활 프로그램은 미술치료, 원예활동, 음악치료, 스포츠 활동, 사회기술 및 사회적응 훈련 등의 다양한 매개체를 활용한다. 작업치료사 외에도 정신사회 치료팀은 의사, 간호사, 임상심리사, 사회복지사, 놀이치료사, 직업상담가 등이 팀을 이루어 환자를 치료한다.

## 2. 사회복지 분야

### 1) 아동발달센터

우리나라에 지역별로 많은 아동발달센터가 있다. 아동발달센터는 성장기 아동 발달이 지연되었거나 아동기 장애를 가진 아동들을 치료하는 기관이다. 치료 대상은 발달지연, 주의력결핍과잉행동장애, 자폐, 학습장애, 지적장애, 다운증후군 및 염색체 이상, 소근육 운동 및 인지 기능에 어려움이 있는 아동이다. 이 곳에서는 성장 발달에 지연된 부분을 평가하여 감각통합치료, 언어치료, 심리치료, 특수교육 등을 시행한다. 이 중에서 작업치료사는 감각통합치료를 주로 시행한다. 감각통합치료는 신체를 효과적으로 사용할 수 있는 방법과 감각을 활용하여 주변 환경에 적절하게 반응 할 수 있도록 아이의 능력과 동기를 향상시키는 치료이다. 감각통합치료 대상자는 촉각·움직임·시각·청각에 지나치게 민감한 아동, 활동 수준이 너무 높거나 낮은 아동, 자기 통제력이 약하고 충동적인 아동, 대운동, 소운동, 시지각 기능의 발달이 지체된 아동 등이 감각통합치료를 받는다.

국내 작업치료학과 대학에서 감각발달재활사 자격기준 관련 필수과목들을 개설하여 졸업 후 감각발달재활치료를 할 수 있는 자격을 부여하고 있다. 이 자격증이 있으면 감각발달(감각통합 포함)치료를 하는 기관에 취업을 할 수 있고, 정부에서 실시하는 바우처사업에도 참여하며, 개인 치료센터를 개설할 수 있다.

## 2) 보건소

작업치료사는 의료기술직 또는 보건직 공무원으로 근무할 수 있다. 의료기술직 공무원은 특수분야의 공무원으로서 작업치료를 바탕으로 하는 의료업무를 담당하게 된다. 지역주민에 대한 의료사업, 전문영역 의료업무 및 행정업무를 수행한다.

보건직 공무원은 보건복지부 산하 각기관 보건소 시군 구청 병원 및 의료원 등에서 행정업무와 함께 환경위생, 식품위생, 산업보건, 검역업무 등의 업무를 담당한다. 보건직 공무원은 경제가 발전함에 따라 국민의 보건 및 복지정책에 대한 요구가 높아지면서 국민 보건 업무에 점점 더 많은 비중을 차지한다.

우리나라는 고령화가 지속되면서 이에 대한 사회적 문제로 치매 관리정책을 시행하고 있다. 정부는 치매 국가책임제 추진계획을 발표하여 전국 252개 보건소에 치매안심센터를 개소하였다. 치매안심센터는 치매상담, 등록 관리팀, 조기검진팀, 쉼터 팀, 가족지원팀, 인식개선·홍보팀으로 이루어져있다. 치매 환자에게 1:1 맞춤형 상담, 검진, 관리, 서비스 연결까지 통합적인 지원을 받을 수 있으며, 치매 단기쉼터 및 치매 카페 운영과 같은 관련 서비스 기능을 확대하고 있다. 전문 인력은 간호사, 사회복지사, 심리상담사, 작업치료사 등으로 구성되며 작업치료사는 필수로 1명 이상을 채용하게 되어 조기 검진을 통해 치매를 예방하고 인지 재활 프로그램, 치매 예방교실, 치매 가족 상담을 실시하는 역할을 담당한다.

## 3) 장애인 복지관

지역사회에 거주하는 장애인이 사회구성원으로서 자립하는 것을 돕고 복지혜택을 누릴 수 있도록 전국 각 지역에 많은 장애인 복지관이 있다. 이 곳에서는 장애인의 삶의 질 향상을 위해 작업치료사, 사회복지사, 임상심리사, 특수교사, 언어재활사, 물리치료사, 음악치료사, 심리운동사, 수중재활운동사, 장애인재활상담사, 보조공학사 등이 근무하고 있다. 작업치료사는 장애인의 신체적·정신적 기능강화 지원을 담당하고 있다. 구체적으로는 활동분석 및 평가를 통해 대근육, 소근육, 감각, 지각, 인지 기능향상과 감각통합 치료, 일상생활동작

훈련을 시행한다. 또한 개인 간의 상호작용 및 의사소통 향상을 위해 그룹 작업치료 프로그램을 실시한다. 그룹 작업치료 프로그램은 스포츠 활동, 레크리에이션, 놀이활동, 두뇌발달 활동, 미술, 음악, 원예, 요리 등 다양한 활동들이 있다.

## 4) 특수학교

특수교육지원센터 및 특수학교에서 근무하는 작업치료사의 주된 업무는 장애학생이 일반 교육과정에 참여하고 접근하는 것을 포함하여 특수교육으로부터 혜택을 용이하게 받을 수 있도록 돕는다. 미국의 경우 학교 작업치료사는 평가, 프로그램 계획, 중재, 감독, 결과 측정 등의 역할을 담당하고 있으며 다양한 중재방법을 적용하여 학생의 학습수행 능력을 촉진시킨다. 치료는 특수학교 내 별도의 치료실에서 장애학생의 수행요소를 강화하기 위해 작업치료사와 1:1 또는 소그룹으로 치료를 진행한다. 치료내용으로는 소동작, 시각운동, 자세수정, 학생의 역할과 관련된 수행과제 능력, 글쓰기, 키보드기술 등의 기술을 향상시키도록 돕는다.

## 5) 지역사회 작업치료 기관

병원이 아닌 지역사회에서 노인, 장애인들이 의료혜택을 누릴 수 있도록 작업치료사의 역할이 대두되고 있다. 방문요양, 주·야간보호, 단기보호 및 방문 목욕서비스를 시행하는 주간보호센터, 데이케어센터 등은 작업치료사가 시설장을 할 수 있다. 요양원에서는 작업치료사가 필수 인력으로 반드시 필요한 직종이다. 또한 지역사회 통합돌봄을 위해 재가노인지원센터, 정신건강복지센터에서도 작업치료 업무를 수행한다.

## 3. 기타

### 1) 국민건강보험공단

국민건강보험공단은 국민의 건강 증진에 대한 보험 서비스를 제공하는 공공기관이다. 우리나라는 증가하는 고령화로 인해 노인장기요양보험 제도를 시행하면서 공단에서 요양직을 신설하여 전문 인력을 채용하고 있다. 요양직군은 작업치료사, 간호사, 물리치료사 사회복지사 면허 중 하나 이상 소지한 사람이 요양직으로 근무할 수 있다. 요양직이 하는 업무는 고령 및 노인성 질병으로 인한 신체, 정신 기능의 쇠퇴로 거동이 불편한 사람에게 장기요양서비스를 제공한다. 요양직 직원들이 직접 가정을 방문하여 조사를 하거나 장기요양보험 신청자의 등급판정을 위해 일상생활 가능지원 업무나 사회복지 면담 등을 하고 있다.

## 2) 근로복지공단

근로자가 일터에서 질병 또는 사고로 인해 업무상 재해를 겪게 되면 재해근로자의 재활 및 사회복귀 촉진을 위한 복지증진 사업을 하고 있다. 근로복지공단 산하에 여러 직영 병원들이 있다. 산하 병원에서 재해근로자의 직업복귀 및 재활치료를 위해 작업치료사들이 근무하고 있다. 작업치료사는 1차적으로 재활치료를 진행하여 재해근로자의 직업복귀를 돕는다. 또한 사고예방을 위한 안전교육과 근골격계질환 예방을 위한 일상생활 운동을 교육하고 있다.

### 3) 한국장애인고용공단

한국장애인고용공단은 장애인들의 취업 지원과 장애인을 고용하는 기업을 지원하는 일을 하고 있다. 작업치료사는 공단에서 직업평가와 보조공학 업무를 담당하고 있다. 작업치료사 면허증을 소지한 사람이 평가업무를 수행할 수 있다. 직업평가는 취업을 희망하는 사람을 대상으로 신체, 심리, 사회, 직업적 측면을 종합적으로 평가하는 업무를 하고 보조공학은 직업생활에 필요한 각종 보조공학기기를 무상으로 임대 또는 지원하는 업무를 수행한다.

### 4) 도로교통공단

도로교통공단에서 운영하는 장애인 운전지원센터는 전국에 9곳이 있다. 이 곳에서는 장애인의 신체적 운동능력을 평가, 측정하고 운전교육 및 면허관련 정보를 제공하여 장애인의 운전면허취득을 돕고 있다. 작업치료사의 역할은 장애인의 상담을 통해 장애에 필요한 차량과 인지, 지각 평가를 실시한 후 맞춤형 교육을 진행한다.

과제 도구를 이용한 작업치료

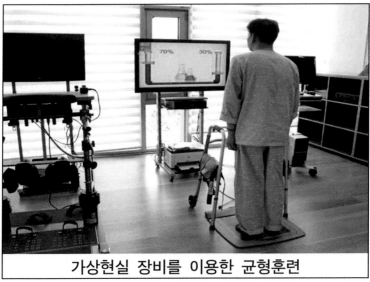

가상현실 장비를 이용한 균형훈련

# PART 3

# 작업치료사 되기

# 1. 작업치료사가 되는 과정

우리나라 작업치료의 정규 교육과정은 현재 3년제 대학 30개교, 4년제 대학 32개교와 대학원 23개교 등 전국 62개 대학에서 매년 약 2,100여명의 신입생을 모집하고 있다. 교육과정 이수 후 한국보건의료인 국가시험원에서 실시하는 작업치료사 국가시험에 합격하면 보건복지부장관으로부터 작업치료사 면허증을 받게 된다. 취업기관으로는 의료기관, 보건소, 장애아동치료센터, 노인복지시설, 어린이집, 의료기 관련 업체 등으로 취업한다.

작업치료사는 의사 또는 다른 전문가로부터 클라이언트의 의뢰를 받게 되면 목적있는 활동과 치료적 도구들을 사용하여 치료를 제공한다. 치료에 들어가기 전에 환자의 정보를 파악하기 위해 작업 프로파일과 수행분석을 실시한다. 그리고 치료가 끝나면 다시 재평가하여 치료 목표에 도달했는지 결과를 확인한다.

작업치료사는 클라이언트의 신체적, 정신적 기능장애를 회복시키기 위해 감각·지각·활동 훈련, 삼킴장애 재활치료, 인지 재활치료, 일상생활활동훈련, 운전재활, 직업재활, 보조기 제작 등의 치료를 한다. 클라이언트의 전반적인 정보를 파악하기 위해 평가내용, 치료계획 등의 경과 기록지를 작성한다.

작업치료사는 여러 과정을 통해 국민의 삶의 참여, 건강유지, 이타주의, 평등, 자유, 정의, 존엄을 갖추어 훌륭한 의료 전문가가 될 수 있다.

## 1) 작업치료사 나에게 맞는 직업일까?

어린 시절부터 남을 돕는 일에 큰 보람을 느꼈거나, 봉사정신이 있다면 작업치료사 직업이 잘 맞을 것이다. 손상을 입거나 장애를 가진 사람들이 일상생활에서 다시 활동할 수 있도록 돕는 따뜻하고 의미 있는 직업이기 때문이다. 작업치료는 단순히 환자의 기능을 회복시키는 것이 아니라, 삶의 질을 향상시키는 데 초점을 맞춘 치료이다. 환자의 일상생활 활동 능력을 평가하고, 그에 맞는 다양한 치료 활동을 통해 다시 독립적으로 살아갈 수 있도록 돕는다. 작업치료사는 마치 희망의 손길처럼 환자에게 삶의 긍정적인 변화를 선사하는 존재이다. 작업치료사가 되기 전에 자신의 적성을 객관적으로 평가해보는 것이 좋다. 섬세하고 관찰력이 뛰어나고, 공감 능력과 봉사 정신이 풍부하며, 꼼꼼하고 책임감 있는 성격을 가지고 있는지 또한 협업 능력과 소통 능력, 긍정적이고 낙관적인 성격을 갖추고 있는지 스스로에게 질문해보자.

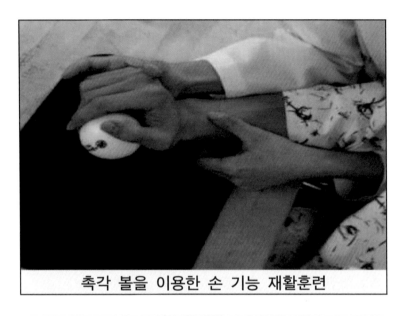

촉각 볼을 이용한 손 기능 재활훈련

관절가동범위 증진을 위한 상지기능 훈련

## 2) 대학 선택하기

 작업치료사가 되기 위한 첫걸음은 바로 작업치료학과를 갖춘 대학을 선택하는 것이다. 하지만 많은 대학 중에서 어떤 대학을 선택해야 할지 고민이 많을 것이다. 현명한 선택을 위해 다양한 요소들을 꼼꼼하게 살펴보고 비교 분석하는 것이 중요하다.

 우선, 당신의 꿈을 키워줄 토대인 교육 시스템과 교수진을 살펴보아야 한다. 단순한 지식 전달을 넘어, 실제 환자와의 소통 및 치료 경험을 통해 실무 능력을 키울 수 있는 교육 프로그램 제공 여부를 확인한다. 그리고 지속적으로 발전하는 작업치료 분야의 최신 트렌드와 기술을 교육 프로그램에 반영하여 미래 경쟁력을 갖춘 작업치료사로 성장할 수 있도록 지원하는지 확인한다. 신경계, 정신건강, 장애아동, 노인 등 다양한 전문 분야 중 자신의 관심 분야를 선택하여 전문성을 키울 수 있는지 파악한다. 국제적인 경험과 네트워킹을 통해 글로벌 역량을 키울 수 있는 기회를 제공하는지도 살펴보아야 한다. 또한 풍부한 경험과 전문성을 가진 교수진으로부터 직접 지도를 받고 실질적인 지식과 기술을 습득할 수 있는지 확인한다. 실제 환자와의 경험을 바탕으로 실질적인 조언과 지도를 제공하고, 학생들의 성장을 돕는 데 헌신하는 교수진인지 확인한다. 최신 연구 결과를 바탕으로 교육 프로그램을 개선하고, 학생들에게 최첨단 지식을 제공하는 데 앞장서고 있는지도 살펴보아야 한다.

두 번째는 현장에서 배우고 성장하는 기회를 갖춘 실습환경과 시설이다. 실습환경은 병원, 재활 의료기관, 장애인 복지시설 등 다양한 유형의 의료기관과 연계하여 다양한 환경에서 실습 경험을 쌓을 수 있는지, 충분한 실습 시간, 다양한 실습 장소, 체계적인 실습 프로그램이 마련되어 있는지 확인한다. 체계적인 실습 시스템과 면밀한 지도를 통해 실습 경험을 극대화하고 효과적으로 학습할 수 있는지 확인한다. 시설은 최신 작업치료 장비 및 시설을 활용하여 실제 환자 치료 상황을 체험하고 실무 능력을 향상 시킬 수 있는지 확인한다. 쾌적하고 안전한 실습실 및 학습환경 조성 여부를 확인한다.

세 번째는 입학 경쟁률 및 학업 분위기이다. 자신의

학업 성취도와 비교했을 때 적절한 경쟁률인지 확인한다. 높은 입학 경쟁률은 우수한 학생들과의 경쟁을 통해 자극을 받고 성장할 수 있는 기회를 제공한다. 학업 분위기는 학업에 대한 집중도가 높고, 서로 협력하고 배우는 긍정적인 학습 환경이 조성되는지, 학생 동아리 및 활동 프로그램 등을 통해 다양한 경험을 쌓을 수 있는지를 확인한다.

네 번째는 현실적인 정보들을 확인하는 것이다. 학자금 마련을 위해 국가장학금과 학생 대출이 가능한지, 등록금 비용, 기숙사 시설 및 비용, 복지 혜택 등을 확인한다. 국내에 작업치료(학)과는 많다. 대학에서 오랜 시간을 보내기 때문에 꿈을 위한 전략적 선택이 필요하다.

감각통합치료 실습실

운전재활훈련 실습실

## 3) 작업치료(학)과 학제와 학위과정

우리나라에서 작업치료사가 되기 위해서는 일반대학이나 전문대학에서 작업치료(학)과를 졸업하고 한국보건의료인 국가시험원에서 실시하는 작업치료사 국가시험에 합격한 후, 보건복지부장관으로부터 작업치료사 면허증을 받아야 한다. 3년제와 4년제 구분없이 대학 졸업자는 동일하게 작업치료사 국가시험 응시자격이 되고 동등하게 면허를 취득한다. 3년제는 전문학사 학위를 받고, 4년제는 일반학사 학위를 받는 차이점이 있다. 3년제를 졸업한 학생은 야간에 실시하는 전공심화과정을 수료하면 일반학위를 받을 수 있다. 전공심화과정은 졸업자에게 학업의 중단없이 일과 병행하면서 학위를 취득할 수 있는 좋은 방법이다. 또 다른 방법은 4년제 일부 대학에서 의료인력 전문학사 편입학 제도를 운영하고 있다. 3년제 졸업생이 작업치료사 면허를 취득 후, 4년제 대학 4학년으로 편입하여 1년만 더 학업을 수행하면 일반학사 학위를 받을 수 있다. 국내에 3년제 대학은 29개, 4년제 대학은 34개 정도 있다.

## 3년제 학부

| 순번 | 학교명 | 전화번호 |
|---|---|---|
| 1 | 가톨릭상지대학교 | 054) 851-3230 |
| 2 | 경남정보대학교 | 051) 320-2916 |
| 3 | 경복대학교 | 031) 539-5449 |
| 4 | 경북과학대학교 | 054) 979-9482 |
| 5 | 경북보건대학교 | 054) 420-9111 |
| 6 | 경북전문대학교 | 054) 630-5269 |
| 7 | 계명문화대학교 | 053) 589-7509 |
| 8 | 구미대학교 | 054) 440-1246 |
| 9 | 대구보건대학교 | 053) 320-1801 |
| 10 | 대전보건대학교 | 042) 670-9440 |
| 11 | 동강대학교 | 062) 520-2504 |
| 12 | 동남보건대학교 | 031) 249-6589 |
| 13 | 두원공과대학교 | 031) 670-7260 |
| 14 | 마산대학교 | 055) 230-1395 |
| 15 | 부산보건대학교 | 051) 200-3476 |
| 16 | 수원여자대학교 | 031) 290-8298 |
| 17 | 순천제일대학교 | 061) 740-1248 |
| 18 | 신성대학교 | 031) 880-5395 |
| 19 | 여주대학교 | 031) 880-5395 |
| 20 | 오산대학교 | 031) 370-2500 |
| 21 | 유한대학교 | 02) 2610-0714 |
| 22 | 전남과학대학교 | 061) 360-5000 |

| 23 | 전주기전대학교 | 063) 280-5250 |
|---|---|---|
| 24 | 제주한라대학교 | 064) 741-7677 |
| 25 | 춘해보건대학교 | 052) 270-0310 |
| 26 | 충남도립대학교 | 041) 635-6718 |
| 27 | 충북보건과학대학교 | 043) 210-8390 |
| 28 | 포항대학교 | 054) 245-1269 |
| 29 | 혜전대학교 | 041) 630-5349 |
| 30 | 호산대학교 | 053) 850-8240 |

*출처 : 대한작업치료사협회 홈페이지

## 4년제 학부

| 순번 | 학교명 | 전화번호 |
|---|---|---|
| 1 | 가야대학교 | 055) 330-1068 |
| 2 | 강원대학교 | 033) 540-3480 |
| 3 | 건양대학교 | 042) 600-6320 |
| 4 | 경남대학교 | 055) 245-5000 |
| 5 | 경동대학교 | 042) 600-6320 |
| 6 | 경운대학교 | 054) 479-1390 |
| 7 | 고신대학교 | 051) 990-2413 |
| 8 | 광주대학교 | 062) 670-2456 |
| 9 | 광주여자대학교 | 062) 950-3982 |
| 10 | 극동대학교 | 043) 879-3746 |
| 11 | 김천대학교 | 054) 420-4267 |

| 12 | 대구대학교 | 053) 850-4390 |
|---|---|---|
| 13 | 동명대학교 | 051) 629-2015 |
| 14 | 동서대학교 | 051) 320-2739 |
| 15 | 동신대학교 | 061) 330-3147 |
| 16 | 백석대학교 | 041) 550-2343 |
| 17 | 상지대학교 | 033) 730-0830 |
| 18 | 세명대학교 | 043) 649-1792 |
| 19 | 순천향대학교 | 041) 530-3087 |
| 20 | 연세대학교 | 033) 760-2718 |
| 21 | 우석대학교 | 063) 290-1390 |
| 22 | 우송대학교 | 042) 630-9820 |
| 23 | 원광대학교 | 063) 850-6955 |
| 24 | 유원대학교 | 043) 740-1410 |
| 25 | 인제대학교 | 055) 320-3683 |
| 26 | 전주대학교 | 063) 220-3299 |
| 27 | 조선대학교 | 062) 230-7260 |
| 28 | 중원대학교 | 043) 830-8674 |
| 29 | 청주대학교 | 043) 229-7980 |
| 30 | 한서대학교 | 041) 660-1395 |
| 31 | 호남대학교 | 062) 940-5075 |
| 32 | 호원대학교 | 063) 450-7480 |

*출처 : 대한작업치료사협회 홈페이지

## 4) 작업치료 교육과정

작업치료학과 교육과정 교과목은 크게 전공필수, 전공선택, 교양 과목으로 나뉜다. 전공필수 과목은 작업치료의 기초 지식과 기술을 습득하는 데 초점을 맞추고 있으며, 전공선택 과목은 학생들의 관심 분야에 따라 다양한 전문성을 키울 수 있도록 구성되어 있다. 교양 과목은 교양인으로서 필요한 기본적인 지식과 역량을 함양하는 데 도움이 된다. 전공필수는 작업치료 현장실습, 감각발달 현장실습, 신체장애 현장실습 등이 있고, 전공선택은 의학용어, 해부학, 생물학, 재활학, 작업치료학개론, 아동발달, 기능해부학, 작업수행분석, 신경과학, 공중보건학, 의료법규, 작업치료도구, 작업치료평가, 일상생활활동, 아동작업치료, 근골격계작업치료, 운동재활, 활동분석, 감각통합치료, 의지보조학, 신경계작업치료, 정신사회작업치료, 인지재활, 연하재활, 지역사회재활 등이 있다. 교양 과목은 사회봉사, 취업과진로탐색, 취업과진로선택, 취업과진로준비, 글로벌기초영어 등이 있다.

1학년 때는 해부학, 의학용어, 생리학 기초과목을 배

우고 되고, 2학년 때 작업치료 실무 위주의 신경계작업치료, 근골격계작업치료, 정신사회작업치료 등을 배운다. 3학년 때는 국가고시 시험을 준비할 수 있는 과목들을 학습하게 된다. 작업치료사는 중추신경계 위주의 뇌손상, 척수손상 환자들을 많이 치료하기 때문에 신경계작업치료, 신경과학 과목들이 비중이 높다고 할 수 있다.

## 5) 작업치료 임상실습

임상실습 교육은 이론적 지식을 임상에 적용하는 과정과 방법을 훈련시키고 현장적응 능력을 기르는 것이 임상실습 교육의 목표이다. 임상실습 교육은 치료사가 되기 위한 준비단계로 임상현장에서 자신의 직무능력과 세부적 관심 분야를 재확인하고 치료사로서의 전문 수행능력을 갖추기 위한 첫걸음을 의미한다. 임상실습 기관은 종합병원, 재활병원, 정신병원, 보건소, 장애아동치료센터, 노인장기요양시설, 노인재가복지시설, 장애인복지시설, 의료기기 관련업체 등에서 실습이 이루어진다. 임상실습을 위해 필요한 역량은 전문의식, 기본

치료술, 의사소통 능력, 윤리적 책임, 이론적 지식, 판단력과 문제해결능력, 관계 형성 능력들이 필요하다. 임상실습을 통해 다양한 주제로 교육을 받고 임상수행 능력을 향상시킨다.

상지기능 훈련을 위한 거울치료

## 임상실습 교육 프로그램

| 교육 주제 | 교육 내용 |
|---|---|
| 환자정보 확인과 치료적 평가 및 중재 | • 개인정보보호<br>• 진료 기록지 확인<br>• SOAP 작성방법<br>• 라포 형성<br>• 중재계획 마련<br>• 중재접근 방법 |
| 인지치료 | • 인지재활의 정의<br>• 인지치료 구성요소<br>• 인지치료 관련 평가<br>• 인지재활 중재 |
| 척수 손상 | • 척수손상 소개<br>• 척수손상 임상적 특징<br>• 척수손상 2차 합병증<br>• 척수손상 평가<br>• 척수손상 중재 |
| 뇌손상 | • 뇌손상의 개요<br>• 뇌손상 평가<br>• 뇌졸중 재활의 단계<br>• 뇌졸중 후 합병증<br>• 사회복귀를 위한 재활 |

| | |
|---|---|
| 근골격계 질환 | • 화상환자 재활 |
| | • 절단환자 재활 |
| | • 수부손상 재활 |
| 소아 작업치료 | • 소아 작업치료 소개 |
| | • 소아 작업치료 중재 |
| | • 소아 작업치료 평가 |
| 일상생활 활동 중재 접근법 | • 뇌졸중 일상생활훈련 |
| | • 척수손상 일상생활훈련 |
| | • 고관절 전치환술 일상생활훈련 |
| | • 절단환자 일상생활훈련 |
| 운전 재활 | • 운전재활 소개 |
| | • 운전재활 평가 |
| 직업 재활 | • 직업재활 소개 |
| | • 직장복귀 지원프로그램 진행과정 |
| | • 직업재활 중재전략 |
| 평가 도구 | • 신체기능 검사 |
| | • 수지기능 검사 |
| | • 감각기능 검사 |
| | • 일상생활동작 평가 |
| 안전교육 및 관리 | • 화재 안전관리 |
| | • 장비관리 |
| | • 고객 친절관리 |
| | • 감염예방 |
| | • 낙상 및 안전사고 |

## 6) 작업치료사 국가시험

작업치료사 국가시험은 매년 1회 시행된다. 시험 종별은 필기, 실기로 나뉘어지고 객관식 5지선다형이다. 시험과목은 작업치료학기초, 의료관계법규, 작업치료학, 실기시험이 있다. 문항수와 배점은 다음과 같다.

### 작업치료사 국가시험

| 구 분 | 시험 과목 | 문항 수 | 시험 시간 |
|-------|-----------|---------|-----------|
| 1교시 | 1. 작업치료학 기초<br>2. 의료관계법규 | 90 | 09:00~10:10 |
| 2교시 | 작업치료학 | 100 | 10:40~12:20 |
| 3교시 | 실기시험 | 50 | 12:50~13:55 |

*출처 : 한국보건의료인국가시험원 홈페이지

■ 응시자격

· 취득하고자 하는 면허에 상응하는 보건의료에 관한 학문을 전공하는 대학·산업대학 또는 전문대학을 졸업한 자. 단, 졸업예정자의 경우 이듬해 2월 이전 졸업이 확인된 자이어야하며 만일 동 기간내에 졸업하지 못한 경우 합격이 취소된다.

- 보건복지부장관이 인정하는 외국에서 취득하고자 하는 면허에 상응하는 보건의료에 관한 학문을 전공하는 대학과 동등 이상의 교육과정을 이수하고 외국의 해당 의료기사등의 면허를 받은 자. 다만, '95. 10. 6 당시 보건사회부 장관이 인정하는 외국의 해당 전문대학 이상의 학교에 재학중인 자는 그 해당학교 졸업자.

■ **면허취득의 결격사유**
- 정신질환자
- 마약·대마 또는 향정신성의약품 중독자
- 피성년후견인, 피한정후견인
- 금고 이상의 실형의 선고를 받고 그 집행이 종료되지 아니하거나 면제되지 아니한 자

■ **합격기준**

· 필기시험에 있어서는 매 과목 만점의 40퍼센트 이상, 전과목 총점의 60퍼센트 이상 득점한 자를 합격자

· 실기 시험에 있어서는 만점의 60퍼센트 이상 득점한 자를 합격자

· 응시자격이 없는 것으로 확인된 경우에는 합격자 발표 이후에도 합격을 취소한다.


■ **합격자 발표**

· 국시원 홈페이지 [합격자조회]메뉴

· 국시원 모바일 홈페이지

## 국가시험 관련 교과목

| 구 분 | 관련 교과목 | |
|---|---|---|
| 작업<br>치료학<br>기초 | • 작업치료개론<br>• 기능해부학<br>• 재활의학<br>• 병리학<br>• 이학적검사<br>• 아동발달학 등 | • 해부학<br>• 의학용어<br>• 생리학<br>• 신경해부학<br>• 공중보건학 |
| 의료<br>관계<br>법규 | • 의료법<br>• 국민건강보험법<br>• 의료기사 등에 관한 법률<br>• 정신건강증진 및 정신질환자 복지서비스<br>  지원에 관한 법률 | • 장애인복지법<br>• 노인복지법 |
| 작업<br>치료학 | • 작업치료평가<br>• 아동작업치료<br>• 신경계작업치료<br>• 활동분석<br>• 정신사회작업치료<br>• 노인작업치료<br>• 인지재활<br>• 직업재활<br>• 운동치료학 등 | • 일상생활활동<br>• 질환별작업치료<br>• 근골격계작업치료<br>• 의지보조학<br>• 정신의학<br>• 지역사회작업치료<br>• 연하재활<br>• 운전재활 |
| 실기<br>시험 | • 신경계작업치료<br>• 정신사회작업치료<br>• 연하재활 등 | • 근골격계작업치료<br>• 인지재활 |

## 7) 작업치료학과 신입생 입학 사례

어느 날, 고등학교를 졸업하고 대학에 진학해야 할 중요한 결정을 내려야 했다. 나는 항상 사람을 돕고 싶었고, 의학 분야에 관심이 있었기 때문에 의료 관련 전공을 고려했다.

우연히 작업치료에 대한 글을 읽었다. 작업치료사가 어떤 일을 하는지, 어떤 사람들을 돕는지에 대한 이야기였다. 그 순간, 내 마음은 뜨거워졌다. 작업치료사가 되어 다양한 사람들의 삶을 바꿀 수 있다는 생각에 나는 감격을 느꼈다. 하지만, 나는 작업치료에 대해 아무것도 모르는 상태였다. 내가 선택한 것이 올바른 선택인지, 나에게 맞는 선택인지에 대한 의문이 들었다. 그러나 나는 두려움을 이겨내고 내 마음을 따라가기로 결심했다.

대학에 입학한 첫날, 나는 작업치료학과의 교실에 발을 들여놓았다. 새로운 친구들과 함께 강의를 듣고, 실습을 하면서 나는 점점 더 작업치료에 대해 알아가고 내가 선택한 길이 옳은 길임을 느꼈다. 그리고 그 과정에서 나는 새로운 친구들을 만나고, 교수님들과 함께 성장할 수 있는 기회를 얻었다. 그리고 그곳에서 만난 친구들은 내게 큰 힘이 되었다. 서로를 이끌어 주고, 함께 공부하며, 어려움을 극복하는 과정에서 우리의 관계는 더욱 깊어져갔다. 작업치료학과에서의 시간은 그저 공부만 하는 것이 아니라, 서로를 이해하고 배려하는 소중한 시간으로 만들어졌다. 하지만, 학업중에는 도전과 어려움이 끊이지 않았다. 새로운 개념들을 이해하고, 실습에서의 경험들은 종종 나를 혼란스럽게 만들기도 했다. 하지만 그 과정에서 나는 더욱 강해지고, 더 나은 작업치료사가 되기 위해 노력했다. 작업치료학과에서의 나의 시간은 새로운 발견과 도전으로 가득 차 있었고, 그 모든 것이 나에게는 값진 경험이었다. 이제, 나는 자신감을 가지고 작업치료사가 되기 위해 나아가고 있다. 내가 선택한 작업치료는 단순히 직업이 아니라, 나의 소명이 되었다. 나는 이제부터 작업치료사로서의 길을 걷는다. 그리고 그 길 위에서 나는 더 나은 세상을 만들기 위해 노력할 것이다.

학술제

학과 MT

체육대회

인체해부 카데바 교외교육

작업치료 글로벌 견학

심폐소생술 자격증 취득 교육

**PART 4**

# 작업치료사의 일과

# 1. 환자 평가 및 치료 계획 수립

 작업치료사의 일과 중 가장 중요한 부분 중 하나는 바로 환자 평가와 치료계획 수립이다. 마치 탐험가가 새로운 땅을 탐험하기 전에 지도를 꼼꼼하게 살펴보듯 작업치료사는 환자를 깊이 이해하고 맞춤 치료 계획을 세우기 위해 다양한 작업치료 평가 방법을 사용한다.

## 1) 평가 준비: 환자를 이해하는 다양한 방법
**면담** : 환자와 직접 대화하여 그들의 이야기를 경청하고 질병이나 장애에 대한 경험, 일상생활 어려움, 삶의 목표 등을 자세히 파악한다. 환자의 감정, 생각, 가치관을 이해하는 것이 중요하다.

**관찰** : 환자의 움직임, 자세, 행동을 주의 깊게 관찰한다. 운동능력, 균형감각, 인지능력, 사회적 상호작용 등을 평가한다. 환자의 강점과 약점을 파악하여 치료에 활용한다.

**신체 기능 검사** : 환자의 근력, 균형, 운동 능력, 감각 기능 등을 면밀하게 평가한다. 다양한 평가 도구와 기

술을 활용하여 환자의 기능 수준을 정확하게 파악하여 환자의 일상생활 활동 수행 능력과 관련된 문제점을 찾아낸다.

**인지 기능 검사** : 환자의 기억력, 집중력, 문제 해결 능력, 의사소통 능력 등을 평가한다. 환자의 인지 기능 수준이 일상생활 활동 수행에 미치는 영향을 파악하여 치료 계획에 필요한 인지 훈련 전략을 개발한다.

**정신 건강 검사** : 환자의 감정, 생각, 행동 패턴 등을 평가한다. 환자의 정신 건강 상태가 치료 과정에 미치는 영향을 파악하여 필요한 경우 정신 건강 전문가와 협력하여 치료 계획을 수립한다.

**사회적 환경 평가** : 환자의 가족, 직장, 학교, 지역사회 등과의 관계와 환경을 평가한다. 환자의 사회적 환경이 치료 과정에 미치는 영향을 파악해야 한다. 환자의 사회 참여를 위한 지원 전략을 개발한다.

**기록 분석** : 환자의 의무기록, 검사 결과, 과거치료 기록 등을 분석한다. 환자의 건강 상태 변화를 파악하고 치료과정을 추적하여 과거 치료의 효과와 문제점을 분석하여 현재 치료 계획에 반영한다.

## 2) 계획 수립: 환자 맞춤형 치료 로드맵 만들기

환자평가 결과를 바탕으로 환자에게 맞춤형 치료 계획을 수립한다. 환자의 기능적 목표, 강점과 약점, 사회적 환경 등을 고려한다. 다양한 치료 활동, 보조기 활용, 환경 조정 등을 포함한다.

**목표 설정** : 환자와 함께 치료 목표를 명확하게 설정한다. 환자의 삶의 질 향상, 기능 회복, 사회참여 증진 등을 위한 구체적인 목표를 설정한다. 환자의 의견과 희망을 최대한 반영하여 현실적인 목표를 설정한다.

**활동 선정** : 환자에게 적합한 치료 활동을 선정한다. 환자의 상태, 흥미, 목표에 맞는 다양한 활동을 선택한다. 운동훈련, 인지훈련, 삼킴장애 훈련, 일상생활활동 훈련, 그룹활동 등이 활용될 수 있다.

**계획 구성** : 치료 계획을 구체적으로 구성한다. 치료 활동의 종류, 시간, 강도, 빈도 등을 명확하게 정의하고 환자의 진행 상황에 따라 치료 계획을 유연하게 조정할 수 있도록 한다.

**평가방법 설정** : 치료 효과를 평가하는 방법을 설정한다. 환자의 기능적 능력, 인지 능력, 정신 건강 상태 등의 변화를 평가한다. 환자의 회복력과 만족도를 측정하여 치료 계획의 효과를 검증한다.

## 3) 환자의 기능적 목표 설정 : 잠재력 발휘를 위한 목표

환자와 협력하여 목표를 설정한다. 환자의 욕구와 능력을 반영하여 현실적이고 달성 가능한 목표를 설정한다. 환자의 치료 동기를 높이고 치료 과정에 대한 참여를 유도하고 목표 달성을 위한 구체적인 기준을 설정한다. 치료 과정의 진행 상황을 평가하고 목표 달성 여부를 확인한다. 필요에 따라 목표를 조정하거나 새로운 목표를 설정한다.

## 2. 작업치료 중재

 작업치료사는 마치 숙련된 탐험가처럼 환자와 함께 꿈을 향한 여정을 걸으며, 중재라는 나침반을 사용하여 환자의 삶을 더 나은 방향으로 이끌어 나가는 중요한 역할을 수행한다. 탐험가가 다양한 지형을 탐험하고 목표를 달성하기 위해 다양한 도구와 기술을 사용하듯, 작업치료사 역시 환자의 개별적인 상황에 맞는 다양한 중재 전략을 활용하여 환자의 기능을 회복하고 삶의 질을 향상시키도록 돕는다.

### 1) 다양한 중재 전략

**활동 치료** : 다양한 활동을 통해 환자의 기능 향상을 돕는다. 일상생활활동, 작업활동, 여가 활동 등을 활용하여 환자의 독립성을 높이고 사회 참여를 돕는다. 환자의 흥미와 능력에 맞는 활동을 선택하여 치료 동기를 부여하고 긍정적인 경험을 제공한다.

**운동 치료** : 운동을 통해 환자의 관절가동범위, 근력, 지구력, 균형 능력 등을 향상시킨다. 환자의 건강 상태

와 기능 수준에 맞는 운동 프로그램을 제공하여 신체 기능 회복을 돕는다. 만성질환 관리, 통증 완화, 재활 치료 등에 효과적이다.

**인지 훈련** : 인지 기능을 향상시키는 훈련을 제공한다. 기억력, 집중력, 문제 해결 능력, 의사소통 능력 등을 향상시켜 환자의 일상생활 활동 능력을 높인다. 뇌졸중, 치매, 학습 장애 등을 가진 환자에게 효과적이다.

**보조기 및 환경 조정** : 보조기 및 환경을 조정하여 환자의 기능 수행을 돕는다. 지팡이, 의자, 휠체어, 경사로 등을 활용하여 환자의 이동, 자립, 안전을 확보한다. 작업 환경, 주거 환경 등을 조정하여 환자의 활동 참여를 용이하게 한다.

**일상생활활동 : 독립적인 생활을 영위하도록 돕기**

식사: 음식 준비, 식사하기, 식기 세척 등 식사 관련 모든 활동을 훈련하여 자립적인 식습관을 형성한다.

예시: 특정 식단을 준수해야 하는 환자에게는 건강한 식단 구성 및 조리 방법 교육, 식기 사용 훈련 등을 제공한다.

옷 입기: 옷 선택, 옷 입기, 옷 벗기 등 옷 관리 능력

을 향상시켜 자립적인 삶을 돕는다.

예시: 손가락 관절염으로 옷 입기가 어려운 환자에게는 옷의 디자인 및 소재 선택, 쉬운 옷 입기 방법 훈련, 보조 도구 활용법 교육 등을 제공한다.

목욕: 목욕 준비, 샤워 또는 욕조 사용, 옷 입기/벗기 등 목욕 과정을 훈련하여 개인 위생 관리 능력을 향상시킨다.

예시: 균형 감각이 좋지 않아 목욕 시 안전에 어려움을 겪는 환자에게는 욕조 안전 장치 설치, 목욕 의자 활용법 교육, 동작 훈련 등을 제공한다.

이동: 걷기, 계단 오르기, 휠체어 조작 등 이동 능력을 향상시켜 사회 참여를 촉진한다.

예시: 뇌졸중으로 인해 한쪽 다리에 마비가 있는 환자에게는 균형 훈련, 보행 보조기 사용 훈련, 계단 오르내리는 안전 교육 등을 제공한다.


**생산 활동: 삶의 의미와 가치를 찾다**

직업 훈련: 직업능력 평가 및 훈련을 통해 직장 복귀를 돕고 사회 경제적 활동 참여를 촉진한다.

예시: 산업재해를 겪은 환자에게 직업 흥미 및 능력 평가를 통해 적합한 직업을 선택하고, 취업 훈련, 직장 적응 훈련 등을 제공한다.

자원봉사 활동: 지역 사회에 기여할 수 있는 자원봉사 활동 참여를 통해 사회적 가치를 느끼고 자존감을 높인다.

예시: 노인에게는 지역사회 복지 시설에서의 자원봉사 활동 참여 기회를 제공하여 사회 참여를 유도하고 소속감을 높인다.


## 2) 맞춤형 중재

**개별화된 치료 계획** : 환자에게 맞춤형 치료 계획을 수립한다. 환자의 목표, 능력 등을 반영하여 치료 목표, 활동, 환경 등을 설정한다. 환자와 가족, 의료진 등과 협력하여 치료 계획을 수립하고 실행한다.

**지속적인 평가 및 개선** : 치료 과정을 지속적으로 평가하고 개선한다. 환자의 변화와 치료 효과를 확인하고 치료 계획을 필요에 따라 조정한다. 환자에게 최적의 치료 효과를 제공한다.

## 3) 협력: 팀워크

**다양한 이해관계자와의 협력** : 의료진, 가족, 보호자, 기관 등 다양한 이해관계자와 협력하여 환자에게 최적의 치료를 제공한다. 환자의 상태와 치료 계획을 공유하고 의견을 조율하여 환자에게 지속적인 지원을 제공하고 치료 목표 달성을 위한 협력 체계를 구축한다.

**환자 중심의 접근** : 환자 중심의 접근을 통해 환자의 목소리에 귀 기울이고 환자의 참여를 유도한다. 환자의 의견과 요구를 존중하고 치료 계획에 반영하여 환자의 자율성과 책임감을 강화하고 치료 동기를 부여한다.

**문화적 민감성** : 환자의 문화적 배경과 가치관을 존중한다. 환자의 문화적 특성을 고려하여 치료 계획을 수립하고 제공하여 환자와의 신뢰 관계를 구축하고 치료 효과를 높인다.

## 4) 윤리적 책임

**환자의 권익 보호** : 환자의 권익을 보호하기 위해 관련 법규 및 윤리 강령을 준수하고 환자의 동의를 얻는다. 그리고 환자의 개인정보를 보호하고 안전한 치료

환경을 조성한다.

**전문성 유지** : 지속적인 교육을 통해 전문성을 유지하고 발전시켜 최신 치료 기술과 지식을 습득하고 새로운 중재 전략을 연구한다. 환자에게 최고 수준의 치료 서비스를 제공한다.

**사회적 책임** : 작업치료 관련 정책 개발 및 홍보에 참여하고 작업치료 분야의 발전에 기여하고 사회 변화를 위한 노력에 힘쓴다.

작업치료사는 다양한 중재 전략을 활용하고 맞춤형 중재 계획을 수립하며 팀워크를 통해 환자에게 최적의 치료를 제공한다. 탐험가처럼 길잡이가 되어 환자와 함께 꿈을 향한 여정을 걸으며, 끊임없는 노력과 헌신적인 태도로 환자의 삶의 질을 향상시킬 수 있도록 한다.

## 3. 환자 모니터링 및 평가

 작업치료사는 환자의 객관적인, 주관적인 적절한 평가를 통해 치료의 효과성을 검증하고 문제점을 발견할 수 있도록 한다.

### 1) 환자의 진행 상황을 꼼꼼히 살펴보기

**지속적인 관찰** : 환자의 반응, 변화, 어려움 등을 지속적으로 관찰하여 치료 과정에서 나타나는 긍정적, 부정적인 변화를 주의 깊게 살펴본다. 환자의 감정, 행동, 언어 등을 통해 치료 효과를 파악한다.

**정기적인 평가** : 정기적인 평가를 통해 환자의 진행 상황을 정확하게 파악한다. 표준화된 평가 도구, 면담, 관찰 등을 통해 환자의 기능적 능력, 인지 능력, 정신 건강 상태 등을 평가한다.

**데이터 분석** : 평가 결과를 분석하여 치료 과정의 효과를 평가한다. 환자의 변화 추이를 분석하고 치료목표 달성 여부를 확인한다. 치료 과정의 문제점을 파악하고 개선 방안을 모색한다.

## 2) 치료 계획의 효과를 검증하고 개선하기

**치료 목표 재설정** : 필요에 따라 치료 목표를 재설정한다. 환자의 진행 상황과 욕구를 반영하여 현실적인 목표를 설정한다.

**치료 활동 조정** : 치료 활동을 환자의 진행 상황에 맞게 조정한다. 활동의 종류, 강도, 빈도 등을 변경하여 치료 효과를 극대화한다.

**환자와의 협력** : 환자와 협력하여 치료 계획을 개선하고 환자의 의견을 적극적으로 수렴하고 치료 과정에 반영한다. 환자 스스로 목표를 설정하고 달성하도록 돕는다.


## 3) 치료를 기록하고 공유하기

**치료기록 작성** : 치료 과정과 결과를 기록한다. 환자의 평가 결과, 치료 계획, 치료 과정, 평가 결과 등을 정확하고 상세하게 기록한다.

**의료진과의 협력** : 의료진과 치료 결과를 공유하고 협력한다. 환자의 진행 상황을 전달하고 치료 과정에 대한 의견을 교환한다. 환자에게 필요한 다른 치료 서비

스를 제공할 수 있도록 협력한다.

**연구자료 활용** : 치료 기록을 연구 자료로 활용하고 작업치료 분야의 지식 발전과 치료 효과 향상에 기여한다.


## 4) 환자와의 지속적인 소통

**환자와의 소통** : 환자와 지속적인 소통을 통해 치료 과정을 함께한다. 환자의 감정, 생각, 어려움 등을 경청하고 이해한다. 환자에게 동기 부여를 제공하고 치료 과정에 대한 긍정적인 태도를 갖도록 돕는다.


## 5) 평가 결과 활용

**치료계획 개선** : 평가 결과를 바탕으로 치료 계획을 지속적으로 개선하고 환자의 변화와 치료 효과를 반영하여 치료 목표, 활동, 환경 등을 조정한다. 환자에게 최적화된 치료를 제공하고 치료 목표 달성을 돕는다.

**다양한 이해관계자와의 소통** : 의료진, 가족, 보호자 등 다양한 이해관계자와 평가 결과를 공유하고 소통한다. 환자의 상태에 대한 이해를 높이고 치료 과정에 대한 참여를 유도하여 환자에게 최적의 치료를 제공하고 치료 목표 달성을 위한 협력 체계를 구축한다.

**연구 활동** : 평가 결과를 바탕으로 연구 활동에 참여하여 작업치료 분야의 지식 발전에 기여한다. 새로운 평가 도구 개발, 치료 효과 검증 등을 통해 환자에게 더 나은 치료를 제공하여 작업치료 분야의 전문성을 강화하고 사회에 기여한다.

# 4. 교육 및 상담

작업치료사는 환자의 삶을 더 나은 방향으로 이끌기 위해 교육과 상담이라는 두 가지 중요한 역할을 수행한다.

## 1) 환자에게 필요한 지식 전달

**질병 및 장애에 대한 교육:** 환자에게 질병 및 장애에 대한 정확한 정보를 제공하고 질병의 원인, 증상, 진행 과정, 치료 방법 등을 이해하도록 도우며 장애로 인한 어려움과 대처 방법을 알려준다.

**재활 과정 교육:** 환자에게 재활 과정에 대한 정보를 제공한다. 치료 목표, 치료 내용, 예상되는 효과 등을 설명한다. 환자의 적극적인 참여를 유도하고 치료 과정에 대한 이해를 높인다.

**일상생활 관리 교육:** 환자에게 일상생활 관리에 필요한 지식과 기술을 교육한다. 목욕, 식사, 옷 입기, 화장실 사용 등 일상생활 활동 수행 훈련 가전제품 사용법, 교통편 이용법 등 사회 참여를 위해 교육한다.

**건강 관리 교육:** 환자에게 건강 관리에 대한 교육을 제공한다. 건강한 식습관, 규칙적인 운동, 충분한 수면, 건강한 생활습관 형성, 약물 복용 관리, 스트레스 관리 등 건강관리 방법들을 교육한다.

## 2) 환자와 가족을 위한 상담

**환자 상담:** 환자에게 심리적 지원을 제공하여 질병이나 장애로 인한 불안, 우울, 스트레스 등을 관리하도록 돕는다. 긍정적인 사고방식과 대처 능력을 키울 수 있도록 한다.

**가족 상담:** 가족에게 환자의 상태와 치료 과정에 대한

정보를 제공하여 환자와 가족 간의 소통과 이해를 돕고 가족이 환자를 돌보는 데 필요한 지식과 기술을 교육한다.

**단체 상담 조성**: 환자에게 공동체 참여 기회를 제공한다. 비슷한 어려움을 겪는 환자들과의 만남을 통해 경험을 공유하고 서로에게 힘이 되어준다. 그리고 사회적 고립감을 줄이고 소속감을 형성하도록 돕는다.


### 3) 끊임없이 배우고 성장하는 교육자 및 상담사

**최신 교육 이수**: 최신 교육 프로그램을 이수하여 교육 및 상담 능력을 향상시킨다. 상담 이론, 기술, 윤리 등에 대한 지식을 쌓고 환자에게 더 효과적인 교육 및 상담 서비스를 제공한다.

**전문 지식 습득**: 특정 분야의 전문 지식을 습득하여 아동, 노인, 정신 건강 문제 등 특정 분야의 상담 전문성을 강화하고 환자의 특성에 맞는 맞춤형 교육 및 상담 서비스를 제공한다.

**연구 참여**: 교육 및 상담 관련 연구에 참여하여 효과적인 교육 및 상담 방법을 개발한다. 상담 효과 검증,

새로운 상담 프로그램 개발 등을 통해 환자에게 더 나은 서비스를 제공하여 작업치료 분야의 지식 발전에 기여한다.

**네트워킹:** 다른 작업치료사들과 네트워킹을 구축한다. 경험과 지식을 공유하고 서로에게 배우며 교육 및 상담 능력을 향상시키고, 환자에게 더 나은 서비스를 제공하고 작업치료 분야의 발전에 기여한다.

## 4) 사회 변화를 위한 노력

**정책 참여:** 교육 및 상담 관련 정책에 대한 참여를 통해 환자에게 더 나은 서비스를 제공할 수 있도록 노력하고 교육 및 상담 서비스의 접근성을 높이고 질을 향상시키는 데 기여한다. 그리고 작업치료 분야의 발전을 위한 사회적 환경 조성에 기여한다.

**연구 활동:** 교육 및 상담 관련 연구 활동에 참여한다. 새로운 교육 프로그램 개발, 상담 효과 검증 등을 통해 환자에게 더 나은 삶을 제공하여 작업치료 분야의 전문성을 강화하고 사회에 기여한다.

결론적으로 작업치료사는 교육 및 상담을 통해 환자에게 든든한 지원군이 되어 필요한 지식과 기술을 전달하고, 어려움을 극복하도록 돕는다. 끊임없이 배우고 성장하며 사회 변화를 위한 노력을 통해 환자의 삶의 질을 높이는 중요한 역할을 한다.

## 5. 연구 및 업무 개발

작업치료사는 단순히 환자에게 치료를 제공하는 역할을 넘어 끊임없는 연구와 업무 개발을 통해 탐험의 지평을 넓히고 미래를 향한 항해를 이끌어 가는 선구자 역할을 한다. 마치 숙련된 탐험가가 새로운 땅을 개척하고 새로운 길을 모색하듯, 작업치료사는 환자에게 더 나은 삶을 제공하기 위해 끊임없이 노력한다.

### 1) 새로운 지식의 발견
**연구 참여**: 다양한 연구에 참여하여 작업치료 분야의 지식을 발전시킨다. 치료 효과 검증, 새로운 치료 방법 개발, 작업치료의 효과적인 적용 방안 연구 등을 수행

한다. 연구 결과를 학술 대회 발표, 논문 게재 등을 통해 공유하고 다른 작업치료사들과 지식을 공유한다.

**문헌 조사:** 최신 작업치료 관련 문헌을 조사하고 분석하고 최신 치료 기술과 방법, 연구 결과 등을 파악하여 환자에게 최적의 치료를 제공한다. 그리고 새로운 연구 주제를 발굴하고 지식의 폭을 넓힌다.

**데이터 분석:** 연구 데이터를 분석하여 치료 효과를 평가하고 새로운 지식을 도출한다. 통계 분석 도구를 활용하여 정확하고 신뢰할 수 있는 결과를 얻는다. 그리고 연구 결과를 바탕으로 치료 계획을 개선하고 환자에게 더 나은 서비스를 제공한다.

## 2) 업무 개발

**새로운 치료 프로그램 개발:** 환자의 특성과 요구에 맞는 새로운 치료 프로그램을 개발하고 최신 기술과 방법을 활용하여 치료 효과를 극대화한다.

**작업치료 홍보:** 작업치료 홍보 활동을 수행한다. 대중에게 작업치료의 중요성과 역할을 알려 미래 세대에게 작업치료 분야에 대한 관심을 유도하고 인재 확보에 기여한다.

# 6. 행정 업무

작업치료사는 행정 업무를 통해 환자에게 최적의 치료 환경을 조성하고 효율적인 치료 과정을 이끌어 나가는 중요한 역할을 수행한다.

## 1) 치료의 토대를 마련

**치료계획 문서작성**: 환자의 치료계획 문서를 작성하고 관리한다. 환자의 상태, 목표, 치료 활동, 평가 방법 등을 명확하게 기록하여 치료 과정의 방향성을 제시하고 치료 팀 전문가들에게 정보를 제공한다.

**치료 일정 조율**: 환자의 치료 일정을 효율적으로 조율한다. 환자의 치료 요구, 치료사의 스케줄, 의료진과의 협력 등을 고려하여 일정을 잡는다. 환자에게 최대한 많은 치료 기회를 제공하여 치료 효과를 극대화한다.

**자원 관리**: 치료에 필요한 자원을 효율적으로 관리한다. 치료 장비, 치료 자료, 의료 소모품 등을 적절하게 비축하고 관리하여 치료 환경을 안전하고 쾌적하게 유지한다.

## 2) 치료 과정을 명확하게 기록

**치료기록 작성**: 환자의 치료 기록을 정확하고 상세하게 작성한다. 치료 과정, 활동 내용, 환자의 반응, 평가 결과 등을 기록하여 치료 효과를 평가하고 치료 계획을 개선하는 데 활용한다.

**문서 관리**: 환자의 문서를 체계적으로 관리한다. 치료 계획 문서, 치료 기록, 평가 결과 등을 안전하게 보관하여 환자 정보 보호를 위해 엄격한 관리 시스템을 구축한다.

**데이터 분석**: 치료 데이터를 분석하여 치료 과정을 개선한다. 환자의 변화 추이를 파악하고 치료 목표 달성 여부를 확인하여 치료 프로그램의 효과를 평가하고 개선 방안을 모색한다.

## 3) 팀과의 협력: 환자 중심의 치료를 위해

**의료진과의 협력**: 환자의 상태를 공유하고 치료 계획을 조율하여 환자에게 필요한 다양한 치료 서비스를 제공할 수 있도록 협력한다.

**가족 및 보호자와의 소통**: 환자의 상태와 치료 과정에 대한 정보를 제공하여 치료 프로그램에 대한 참여를 유도하고 환자와 가족 간의 소통을 돕는다.

**행정 지원**: 예약 관리, 청구 처리, 문서 작성 등을 효율적으로 처리하여 치료 과정의 원활한 진행을 지원한다.

결론적으로 작업치료사의 행정 업무는 치료 계획 수립, 기록 관리, 팀 협력, 전문성 개발, 사회 변화를 위한 노력 등을 통해 환자에게 최적의 치료 환경을 조성하고 효율적인 치료 과정을 이끌어 나가는 데 기여한다.

# 7. 전문성 개발

 작업치료사는 끊임없이 배우고 성장하며 전문성을 개발해야 한다. 다양한 노력을 통해 전문성을 키우고 환자에게 최고의 치료를 제공해야 한다.

## 1) 지식 탐구

**최신정보 습득**: 최신 작업치료 관련 정보를 꾸준히 습득한다. 학술 대회 참여, 교육 프로그램 참여, 전문 서적 및 논문 읽기 등을 통해 최신 지식을 쌓아서 치료 기술과 방법, 연구 결과 등을 파악하여 환자에게 최적의 치료를 제공한다.

**연구 참여**: 다양한 연구에 참여하여 작업치료 분야의 지식을 발전시킨다. 치료 효과 검증, 새로운 치료 방법 개발, 작업치료의 효과적인 적용 방안 연구 등을 수행하여 연구 결과를 학술 대회 발표, 논문 게재 등을 통해 공유하고 다른 작업치료사들과 지식을 공유한다.

**전문지식 습득**: 특정 분야의 전문 지식을 습득한다. 노인 작업치료, 소아 작업치료, 정신건강 작업치료 등 특

정 분야의 교육 프로그램 참여, 전문서적 및 논문읽기 등을 통해 전문성을 강화한다. 환자의 특성과 요구에 맞는 맞춤형 치료를 제공한다.

## 2) 치료기술 습득

**치료기술 습득**: 다양한 치료 기술을 습득한다. 실습 프로그램 참여, 멘토링, 전문가 교육 프로그램 참여 등을 통해 치료 기술을 익혀 환자에게 효과적인 치료를 제공하고 치료 효과를 극대화한다.

**평가도구 활용**: 다양한 평가 도구를 활용하여 환자의 상태를 정확하게 평가한다. 평가 방법은 표준화된 평가 도구, 면담, 관찰 등을 통해 환자의 기능적 능력, 인지 능력, 정신 건강 상태 등을 평가한다. 환자의 변화를 파악하고 치료 계획을 개선하는 데 활용한다.

**기술 활용**: 최신 기술을 활용하여 치료 효과를 높인다. 가상 현실(VR), 증강 현실(AR), 로봇 기술 등을 활용하여 환자에게 몰입형 치료 환경을 제공한다. 치료 과정을 더욱 효과적이고 재미있게 만들 수 있다.

## 3) 끊임없는 성장: 지속적인 발전

**자기 성찰**: 자신의 치료 기술을 지속적으로 개선한다. 케이스 스터디, 동료 평가, 멘토링 등을 통해 자신의 강점과 약점을 파악하여 치료 효과를 개선하고 환자에게 더 나은 서비스를 제공한다.

**전문 자격증 취득**: 전문 자격증을 취득하여 전문성을 증명한다. 관련 분야의 전문 자격증 취득을 통해 전문성을 강화하고 경쟁력을 높여 환자에게 더 나은 치료를 제공한다.

**윤리적 책임**: 작업치료 윤리 강령을 준수하고 환자에게 윤리적인 서비스를 제공하여 환자의 개인정보 보호, 동의서 취득, 책임 있는 치료를 중요시한다.

결론적으로 작업치료사는 끊임없이 배우고 성장하며 전문성을 개발하는 것이 중요하다. 지식 탐구, 기술 개발, 끊임없는 성장, 사회 참여 등을 통해 환자에게 최고의 치료를 제공할 수 있도록 한다.

- **취업 기관에 따른 작업치료사의 주요 업무**

- **병원**: 뇌졸중, 척수 손상, 뇌성마비, 외상성 뇌 손상, 근골격계 질환 등을 가진 환자의 기능 회복 및 일상생활 독립 돕기
- **재활의료센터**: 다양한 장애를 가진 환자의 기능 회복 및 사회 참여 촉진
- **장애인 시설**: 장애인의 기능 향상, 일상생활 지원, 사회 참여 촉진
- **학교**: 학습 장애, 발달 장애, 자폐 스펙트럼 장애 등을 가진 학생들의 학습 능력 향상 및 사회성 발달 촉진
- **노인 요양 시설**: 노인의 기능 유지, 인지 능력 향상, 일상생활활동 지원

일상생활동작 훈련

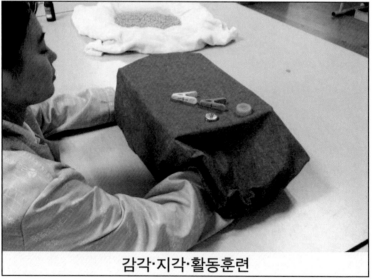

감각·지각·활동훈련

인지 재활치료

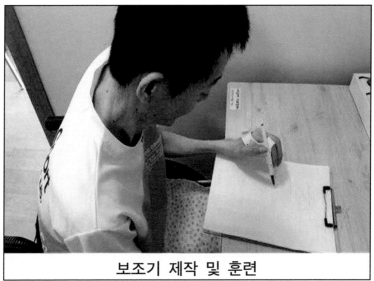

보조기 제작 및 훈련

# PART 5

# 작업치료 이야기

# 스스로 식사할 수 있음에 감사

택배일을 하면서 과로로 쓰러져 뇌졸중을 진단 받은 50대 환자가 있었다. 택배일을 하며 가족의 생계를 꾸려나가고 있었는데 과도한 업무와 피로가 쌓여 뇌졸중이 발생하여 재활치료를 받게되었다. 오른쪽 팔, 다리에 마비가 나타나는 편마비 증상을 겪게 되고 편마비로 인해 수저질, 이동, 보행 등 여러 가지 일상생활 어려움을 겪었다. 갑작스러운 신체 마비로 인해 슬픔과 우울증이 찾아왔고 심리치료도 병행하였다. 재활치료실에서 작업치료, 물리치료, 언어치료, 심리치료 서비스를 받았다. 담당 작업치료사 선생님은 우선 환자와 작업치료 치료목표를 세우기 위해 면담을 실시하였다.

"환자분, 작업치료 받으면서 가장 회복하고 싶은게 무엇인가요?"라고 묻자 환자는 "수저질이라도 하면 좋겠어요"라고 대답하였다.

환자는 오른쪽 팔 마비로 인해 팔을 들어 올리는 동작을 섬세하게 하지 못하였고, 손목과 손가락의 움직임도 부정확하였다. 스스로 물건을 집는 동작이 불가능하여 팔을 자연스럽게 움직임을 만들어내는 동작부터 치료를 하였다. 팔 움직임을 유도하는 다양한 작업치료 도구를 이용하여 매일 치료를 받았고, 조금씩 손가락을 움직이기 시작하였다. 또한 손가락과 손목의 관절 가동범위를 늘리는 운동을 시작했다. 처음에는 움직임이 제한적이었지만, 꾸준한 운동 끝에 손가락과 손목의 움직임이 넓어졌다. 처음부터 수저질을 잘할 수 없어서 수저로 콩을 옮기는 활동을 시작하여 점차 난이도를 높였다. 작업치료를 받고 3개월이 지난 후 수저를 입으로 가져가는 움직임이 가능해졌고, 식사 시 느렸지만 천천히 밥을 먹을 수 있게 되었다. 환자는 보호자의 약간의 도움이 필요했지만 작업치료를 받고 수저질을 혼자서 할 수 있게 되어 매우 기뻐했다.

환자는 또한 뇌졸중으로 인해 언어장애가 있어 말을 거의 하지 못했다. 그래서 단순한 발음 연습부터 시작했다. 처음에는 발음이 불분명했지만, 꾸준한 연습 끝에 발음이 명확해졌다. 그림 설명, 문장 구성, 대화 연습 등을 통해 언어 표현 능력을 향상시켰다. 처음에는 어려워했지만, 꾸준한 연습 끝에 간단한 대화를 나눌 수 있게되었다.

6개월 후, 환자는 드디어 퇴원할 수 있었다. 힘겹게 걸었지만, 그의 발걸음은 희망으로 가득했다.

작업치료를 받는 마지막 날에 환자는 "선생님 감사해요. 처음에 마비가 온 뒤로 아무것도 할 수 없겠구나 생각했어요. 그런데 작업치료를 받고 수저질도 가능해지고 몸도 스스로 움직일 수 있게 되었어요. 정말 감사합니다."라는 말을 하면서 담당 선생님은 눈시울이 맺히면서 벅찬 감동을 느꼈다.

작업치료와 함께 했던 3개월은 단순한 치료 과정이 아니라, 함께 성장하고 희망을 나누었던 소중한 시간이었다.

# 그 작은 손길이 만들어낸 기적

소아 작업치료사로 일하며 가장 소중하게 간직하고 있는 치료 경험 중 하나를 이야기하고 싶다. 주인공은 5살 소년 민수이다. 뇌성마비로 인해 운동 발달이 지연된 민수는 처음 병원에 왔을 때 제대로 걸을 수도, 말을 할 수도 없었다. 하지만 그는 밝은 눈빛과 긍정적인 에너지를 가지고 있었다. 힘든 상황 속에서도 희망을 잃지 않고, 치료에 항상 적극적으로 참여하는 모습이 인상적이었다. 민수와 처음 만난 순간부터 그의 꿈을 응원하기로 결심했다.

 민수의 신체적 회복을 위해 다양한 작업치료 프로그램을 제공했다. 균형 훈련, 운동능력 향상훈련, 손기능 훈련, 인지 훈련 등을 통해 민수의 잠재력을 끌어내고자 노력했다. 민수의 흥미를 유발하고 집중력을 높이기 위해 다양한 방법을 고민했다. 그리고 마침내, 민수가 가장 좋아하는 공놀이를 활용한 균형 훈련을 기획했다. 처음에는 공을 잡고 서는 것조차 쉽지 않았다. 민수는 몇 번이고 넘어졌고, 좌절감에 눈물을 흘리기도 했다.

하지만 격려와 도움을 줄 때마다 다시 일어나 도전했다. 시간이 흐르면서 민수는 공을 잡고 서는 것 뿐만 아니라, 걷고 조금씩 달리면서도 공을 잡는 훈련까지 성공적으로 수행했다. 그의 작은 발걸음은 큰 감동을 선사했다.

 민수는 운동 능력이 부족하여 친구들과 함께 뛰는 것을 꿈꿀 뿐이었다. 그의 꿈을 이루기 위해 다양한 운동능력 향상훈련을 제공했다. 민수의 근력과 체력을 향상시키기 위해 공놀이와 함께 달리기, 뛰기, 기어오르기 등의 운동을 했다. 또한 친구들과 함께 협동심을 키울 수 있는 놀이도 활용했다. 처음에는 친구들과 함께 어울리지 못하고 어려움을 겪기도 했다. 하지만 친구들에게 민수를 이해하고 배려해 줄 것을 부탁하고, 민수에게는 친구들과 협동하여 놀이를 즐기도록 격려했다. 그리고 시간이 흐르면서 친구들과 함께 놀고, 학교 생활에도 잘 적응할 수 있게 되었다.

 민수의 성장을 직접 목격하며 치료사는 상상할 수 없는 감동을 느꼈다. 작은 손길이 민수의 삶에 긍정적인 변화를 가져다 줄 수 있다는 사실에 큰 보람을 느꼈다. 민수는 이제 예전보다 더 나은 학교 생활을 하고 있다. 그는 여전히 치료를 지속하고 있지만, 스스로 목표를 세우고 달성해나가는 모습이 아름답고 멋지다.

언젠가 친구들과 함께 운동회에서 뛰고, 축구 경기를 보고 싶어한다. 그의 꿈이 이루어질 수 있도록 앞으로도 계속 응원하고 있다.

# 작가 김씨의 다시 글쓰기

성인 뇌졸중 환자이자 소설가인 김씨의 작업치료 이야기이다. 김씨는 평생 소설을 쓰는 것을 좋아했고, 그의 꿈은 자신의 소설을 많은 사람들이 구독하는 것이다. 하지만 뇌졸중으로 인해 글쓰기가 불가능해졌고 깊은 절망에 빠졌다.

담당 작업치료사는 김씨의 희망을 되찾기 위해 작업치료 프로그램을 시작했다. 김씨는 주 5회, 회당 1시간씩 작업치료를 받았다. 치료 과정에서 김씨는 꾸준히 노력했고, 긍정적인 태도를 유지했다. 초기에는 오른쪽 손과 팔의 움직임이 매우 제한적이었지만, 꾸준한 운동치료를 통해 점차 기능이 회복되었다. 특히, 글쓰기 기능 회복을 위해 다양한 작업치료 도구를 활용하여 치료를 진행했다. 퍼티 쥐기, 볼 쥐기, 핀셋 움직임 연습 등 미세운동을 통해 손가락의 힘과 조절력을 향상시켰다. 또한 손가락 펴고 구부리기, 손바닥 펴고 쥐기, 손가락 벌리기 모으기 등의 운동을 통해 유연성을 향상시켰다.

뇌졸중으로 인해 실어증이 동반되었기 때문에 언어장애 개선을 위해 그림 카드, 단어 카드, 문장 이해, 그림 설명, 대화 연습 등 다양한 활동을 진행했다. 그림 카드를 보여주고 물건의 이름을 맞추거나 동작을 보여주고 따라 하는 등의 활동을 통해 언어 이해 능력을 향상시켰다. 또한 단어 카드를 보여주고 읽기, 단어의 의미를 맞추는 등의 활동을 통해 어휘력을 향상시켰다. 작가는 소통 능력도 필요하기 때문에 간단한 대화하기, 질문하고 답변하기, 의견을 나누는 등의 활동을 통해 의사소통 능력을 향상시켰다. 언어 치료사와의 협업도 중요했다. 언어 치료사와 함께 언어 장애 평가를 진행하고, 김씨의 상황에 맞는 치료 계획을 수립했다. 또한 언어 치료사와 함께 치료를 진행하면서 언어 능력 향상에 대한 피드백을 받았다.

일상생활은 식사, 옷 입기, 목욕 등 일상생활활동을 독립적으로 수행할 수 있도록 훈련했다. 식사 훈련에서는 음식을 적당한 크기로 잘게 썰어주거나 한 입 크기 도구를 활용하여 식사하기 쉬운 환경을 조성했다. 또한 특수 숟가락, 젓가락, 컵 등 사용하기 쉬운 도구를 활용하도록 훈련했다. 식사 순서를 기억하고, 집중하여 식사하는 훈련도 진행했다. 옷 입기 훈련에서는 옷 벗고 입는 순서를 기억하고, 손기능을 향상시키는 훈련을 진행했다. 또한 단추끼우기 보조도구를 활용하여 스스로 옷 입기 훈련을 하였다.

작업치료를 받고 많은 시간이 흐르면서 김씨는 담당 치료사에게 "작업치료를 통해 일상생활이 회복되고 다시 예전처럼 글쓰기도 할 수 있게 되어 너무 감사하다"고 전하면서 다시 예전의 일을 할 수 있게 되어 감사함을 느끼고 있다.

# 입으로 그린 희망 이야기

20대 나이에 불의의 사고로 목뼈가 골절되어 사지마비가 된 한 젊은 남자의 인생이 한순간에 바뀌었다. "두 뺨에 흐르는 눈물을 닦을 수 없어 귓속으로 들어간다. 눈물이 이렇게도 뜨거웠던가." 사고 이후 어깨 아래로 아무런 감각도 움직임도 할 수 없는 목뼈 손상을 겪은 작은 기적의 이야기이다.

환자는 눈을 뜬 아침이 너무 싫어 계속 잠을 청하고 싶지만 어김없이 하루 24시간은 공평하게 찾아왔다. 눈을 뜨는 순간부터 잠을 잘 때까지 간병사의 도움 없이는 아무것도 혼자서 생활할 수 없는 환경이 되었다. 단지, 할 수 있는 건 입을 열고 말하거나 음식을 삼키는 것 외에 스스로 할 수 있는 것이 아무것도 없었다. 할 수 있다! 힘내! 이런 주변의 조언과 격려의 말들이 전혀 마음에 와닿지 않았다. 머리를 감고 양치를 하며 옷을 입는 이런 단순한 일상들이 이렇게도 힘든거였나 라는 생각이 든다. 볼에 붙은 모기조차 쫓아내지 못해 한 밤중에 누군가에 부탁해야 하는 자신의 모습이 가

없게 느껴졌다. 누군가에게 아침은 바쁜 일상의 시작이지만 나의 아침은 또 하루를 어떻게 살아야하지? 이제 나는 무엇을 해야하나? 하는 고민의 연속이었다.

작업치료의 시작은 오전 9시 부터 시작되었다. 담당 작업치료 선생님은 식사하는 것, 옷 입는 것, 예전 취미 등 여러 가지를 물어보고 평가하며 현재 할 수 있는 것과, 할 수 없는 강점과 약점을 환자에게 알려주었다. 신체적 조건에 많은 한계가 있는 환자에게 선생님은 혼자서 포크로 과일과 음식을 찍어서 먹을 수 있도록 손 보조기를 제공해주었다. 환자는 "남이 먹여주는 것이 아니라 직접 다시 먹을 수 있다는 것에 감사함을 느꼈다."

또한 담당 선생님은 스마트폰을 사용할 수 있도록 보조도구를 제공해줘서 지루한 일상 속에서 게임도 하고 인터넷도 하며 주변의 소식들을 조금씩 접할 수 있게 했다. 작업치료 선생님의 도움으로 환자의 일상들이 조금씩 변해가기 시작했다. 환자는 휠체어에 멍 하니 앉아있는 시간보다 나의 의지대로 조금씩 무엇인가 하고 있는 스스로를 바라보며 "나도 무언가 해야겠다, 할 수 있구나"하는 생각이 들었다.

환자는 예전에 취미로 즐겼던 그림을 다시 그리고 싶어했다. 하지만 움직여지지 않는 손으로 '어떻게 그림을 그릴 수 있을까'하며, 작업치료 선생님께 이 고민을 털어 놓았는데 선생님은 "입으로 그리면 되지요"라고 말을 했다.

환자는 처음에 피식 웃었고 할 수 없다고 생각했다. 그런데 선생님은 시간이 많이 걸릴 수 있지만 용기와 격려를 해주시며 입으로 그림을 그릴 수 있도록 매일 열정을 담아 치료해주었다. 또 특별히 입으로 그림을 그릴 수 있도록 맞춤형 보조도구 붓을 제공해주었다.

환자는 작업치료를 받으면서 조금씩 입으로 붓을 조절하기 시작하여 그림을 다시 그리기 시작했다. 장시간 그림을 그리는 시간 동안 모든 걱정과 나쁜 생각들이 사라졌고, 그림을 완성하는 순간에는 이루 말할 수 없는 감동과 행복을 느꼈고 모든 것에 감사했다. 담당 작업치료사는 사람중심 작업치료를 실현하며 작은 기적을 만들었다.

# 사지마비 후 다시 펜을 들다

  트럭운전 사고를 당한 후 중환자실에서 깨어난 최씨는 손, 다리에 어떤 감각도 느낄 수 없었고 자신의 의지대로 움직일 수도 없었다. 중환자실에서 일반병동으로 넘어와 재활치료를 받게 되었다. 간병사가 밀어주는 휠체어를 타고 작업치료실로 온 최씨는 희망의 모습보다는 무기력한 모습과 삶의 어떤 의지도 없어 보였다.

  목뼈 척수손상을 진단받아 팔은 약간 들 수 있었지만 손가락은 전혀 움직이지 못해 펜을 잡거나 숟가락을 들 수 없어 항상 간병사가 식사와 대소변 처리를 도와주었다. 최씨는 자신의 몸 상태가 회복되지 않을 것이라는 것을 알고 재활치료에 큰 의지가 없었다. 작업치료실에서 매트에서 일어나기, 잔존 근육 강화화기, 관절운동 등 다양한 운동치료를 실시하였다. 최씨는 조금씩 스스로 침상에서 혼자 앉기, 옆으로 돌아눕기 등 최소한의 움직임들을 할 수 있었다. 운동기능이 조금씩 회복될 때 작업치료 선생님은 일상생활동작 훈련에 집중하였다. 최씨가 가장 원하는 것은 스스로 식사를 하고 싶어했다. 그래서 작업치료실에서 숟가락을 손등에 끼워서 사용할 수 있는 유니버셜 커프를 이용하여 접시에 콩을 담아 옮기는 연습을 시작했고 나중에는 병실에서 식사까지 혼자서 할 수 있었다. 최씨의 의지는 더 불타올랐고 작업치료 선생님에게 초등학생 딸아이가 있는데 숙제를 지도할 수 있도록 펜을 들 수 있게 해달라고 부탁했다. 손가락을 전혀 움직일 수 없는 최씨에게 선생님은 펜을 끼워서 사용할 수 있는 펜 홀더 보조기를 만들어 주었다. 글씨를 잘 쓰진 못했지만 그래도 조금씩 펜 홀더를 이용해 연습장에 한 글자씩 연습했고 시간이 걸렸지만 딸아이 숙제 정도는 지도할 수 있게 되었다. 또한 컴퓨터를 사용할 수 있도록 선생님으로부터 키보드 타이핑 보조도구를 제공받아 컴퓨터도 스스로 사용할 수 있게 되었다. 최씨는 사지마비를 겪은 후 아무것도 할 수 없다고 생각했지만 작업치료를 받은 후 식사하기, 글씨쓰기, 컴퓨터 사용하기 등의 많은 것들을 스스로 할 수 있었다. 최씨의 인생은 이제 다시 시작이다. 절망에서 희망으로 첫 여정의 발을 딛게 해준 작업치료 선생님에게 정말 감사함을 느꼈다.

# 뇌성마비 굳은 손, 움직이는 희망

 뇌성마비 환자와의 첫 만남을 앞두고 있었다. 환자는 어린 소년으로, 밝은 눈망울과는 달리 몸의 움직임은 부자연스러웠다. 그의 부모님은 아들의 미래를 걱정하며 담당 작업치료사인 나에게 많은 기대를 걸고 있었다. 나는 보호자의 기대에 부응할 수 있을까 하는 두려움과 함께, 그 아이를 도울 수 있는 최선의 방법을 찾아야겠다는 결심을 다졌다.

 아이와의 첫 치료에서 그와의 소통이 무엇보다 중요하다는 것을 깨달았다. 언어로 의사소통하기 어려운 아이에게 다가가기 위해 나는 표정, 몸짓, 그리고 다양한 도구를 사용했다. 눈을 맞추며 웃음을 나누었고, 작은 진전이 보일 때마다 함께 기뻐했다. 아이의 부모님도 이러한 변화를 보고 희망을 품기 시작했다.

 뇌성마비 환자에게 맞춤형 치료 계획을 세우는 것은 쉽지 않았다. 아이의 개별적인 필요를 고려하여 다양한 치료 기법을 시도했다. 운동치료, 감각통합치료 그리고 게임을 활용한 프로그램 등 여러 가지 방법을 결합하여 적용했다.

운동치료는 아이의 근력과 유연성을 향상시키기 위한 중요한 방법이었다. 초기에는 기초적인 움직임 훈련을 통해 자신의 몸을 더 잘 이해하고 조절할 수 있도록 도왔다. 스트레칭과 근력 운동을 병행하며, 그의 몸이 점점 좋아지는 것을 느낄 수 있었다. 보조 도구를 사용하여 스스로 앉거나 일어설 수 있게 되자, 그의 얼굴에는 자신감이 서서히 나타나기 시작했다.

감각통합치료는 아이가 주변 환경과 잘 상호작용할 수 있도록 도와주는 중요한 단계였다. 다양한 물건의 물체를 만져보게 하거나, 소리와 빛의 자극을 통해 감각을 자극하는 활동들을 진행했다. 이러한 과정을 통해 아이는 자신의 몸과 주변 환경 간의 관계를 더 잘 이해하게 되었고, 이를 통해 일상생활에서의 자립도가 향상되었다.

놀이 치료는 아이에게 있어서 가장 즐거운 시간이자, 중요한 학습의 기회였다. 나는 다양한 놀이 도구와 게임을 활용하여 아이가 자연스럽게 운동 기능을 향상시킬 수 있도록 했다. 블록 쌓기, 퍼즐 맞추기, 간단한 운동 게임 등은 그의 소근육 발달에 큰 도움을 주었다. 또한 이러한 놀이를 통해 아이는 협응력과 문제 해결 능력을 키울 수 있었다. 이러한 시도들은 아이에게 작은 성취감을 안겨주었고, 그의 자신감을 키워나갔다. 물론 모든 것이 순조롭지만은 않았다. 때로는 치료 과정에서 예상치 못한 어려움이 발생하기도 했다. 아이의 몸은 쉽게 피로해졌고, 그의 의지와는 달리 움직임이 잘 따라주지 않았다. 그럴 때마다 나는 아이의 부모님과 소통하며, 새로운 접근 방식을 모색했다. 이러한 과정에서 나는 아이 뿐만 아니라, 그의 가족과도 깊은 유대감을 쌓아갈 수 있었다.

몇 달이 지나자, 아이의 변화는 눈에 띄게 나타나기 시작했다. 그는 이제 스스로 앉아 있을 수 있었고, 손가락을 사용하여 작은 장난감을 집어 올릴 수 있게 되었다. 이런 작은 변화들이 모여 그의 일상생활에 큰 영향을 미쳤다. 아이는 점차 더 많은 것을 시도하려 했고, 그의 눈망울은 더욱 빛났다.

시간이 지나면서 나는 아이와 그의 가족에게서 많은 것을 배웠다. 그들은 나에게 인내와 사랑, 그리고 희망이 무엇인지 가르쳐 주었다. 뇌성마비 환자를 치료하는 작업치료사로 큰 보람과 성취감을 안겨주었다. 그리고 앞으로도 더 많은 뇌성마비 아이들에게 희망을 줄 수 있는 치료사가 되겠다고 다짐했다.

# 발달장애 아동 놀이터 도전

 작업치료사로서 감각통합치료를 처음 접하게 된 날이 기억난다. 그날 나는 한 아이를 만나게 되었다. 그의 이름은 민준이었고, 네 살이었다. 민준이는 아동발달장애로 인해 감각 자극에 과민하거나 둔감한 반응을 보였다. 그는 특정 소리에 극도로 민감했고, 촉각 자극에 매우 예민했다. 부모님은 민준이의 어려움을 이해하고, 도울 방법을 찾고자 많은 노력을 기울이고 있었다.

 민준이는 감각통합장애를 가지고 있었다. 감각통합장애란 뇌가 신체의 감각 정보를 효율적으로 처리하지 못해, 일상생활에서 다양한 어려움을 겪는 상태를 말한다. 민준이의 경우, 다양한 감각에서 문제가 나타났다. 우선 촉각에 매우 민감했다. 옷의 질감이나 갑작스러운 피부 접촉에 과도하게 반응했으며, 이는 일상 생활에서 큰 불편을 초래했다. 특히, 옷을 입거나 머리를 감는 등의 일상적인 활동에서도 큰 스트레스를 받았다. 그는 특정 질감의 옷을 입기 싫어했고, 머리를 감을 때는 극도로 불안해하며 울음을 터뜨리곤 했다. 청각에 대해서도 민준이는 과민반응을 보였다. 갑작스러운 큰 소리나 일상적인 환경 소음에도 극도로 예민하게 반응했다. 집안에서 나는 가벼운 소음에도 깜짝 놀라거나 귀를 막고 소리를 지르는 경우가 많아 외부 환경에서의 적응이 어려웠다. 민준이는 고유수용성 감각에도 문제가 있었다. 민준이는 자신의 몸을 공간에서 어떻게 움직여야 할지 인식하는 데 어려움을 겪었다. 이는 민준이가 균형을 잡거나, 새로운 동작을 학습하는 데 큰 장애가 되었다. 전정 감각에 있어서도 민감한 반응을 보였다. 그네를 타거나 높은 곳에 오르는 것을 극도로 두려워했고, 몸을 흔드는 움직임에도 불안해했다. 이러한 문제는 민준이가 또래 친구들과 같이 단체 놀이 활동을 하는데 어려움이 있었다.

  감각통합치료 첫 시간에서 민준이와 나는 서로를 탐색하는 시간을 가졌다. 나는 그의 감각 반응을 살피며, 어떤 자극이 그에게 불편함을 주는지, 또 어떤 자극에 더 반응하는지를 관찰했다. 민준이는 새로운 환경에 긴장하고 있었지만, 점차 놀이 도구에 흥미를 보이기 시작했다. 나는 다양한 질감의 장난감을 제공하며, 그의 반응을 주의 깊게 살폈다. 민준이와의 치료는 항상 놀이를 중심으로 진행되었다. 다양한 촉감과 색감의 공을 굴리거나, 부드러운 모래를 만지게 하며 감각 자극을 주었다. 민준이는 처음에 이러한 자극에 불편해했지만, 점차 즐거움을 느끼기 시작했다.

민준이의 촉각 민감성을 조절하기 위해 다양한 질감의 물체를 사용했다. 부드러운 천, 까칠한 브러시, 매끄러운 공 등 다양한 촉감의 물체들을 통해 민준이의 촉각 경험을 확장시켰다. 이 과정에서 민준이는 처음에 불편해했지만, 점차 다양한 촉감을 즐기기 시작했다. 이런 촉각 자극은 민준이의 피부 감각을 조절하고, 일상생활에서의 촉각 민감성을 줄이는 데 도움이 되었다.

전정 감각은 우리 몸의 균형과 움직임을 담당하는 중요한 감각이다. 민준이는 전정 자극에 민감했기 때문에 천천히 그리고 점진적으로 그에게 전정 자극을 제공했다. 그네를 타게 하거나, 균형 잡기 놀이를 통해 그의 전정 감각을 자극했다. 처음에 두려워하던 민준이는 점차 균형 잡기에 익숙해지며 즐거움을 찾았다. 또한 고유수용성 감각은 우리 몸의 위치와 움직임을 인식하는 감각이다. 민준이의 고유수용성 감각을 자극하기 위해 나는 그에게 다양한 운동 활동을 제공했다. 장애물 코스를 통해 기어가거나, 공을 굴리며 균형을 맞추는 활동을 통해 그의 근육과 관절의 감각을 자극했다. 이러한 활동들은 민준이의 운동 능력을 향상시키고, 몸의 인식을 높이는 데 큰 도움이 되었다.

치료 과정에서 민준이는 여러 어려움에 직면했다. 싫어하던 소리를 서서히 노출시키는 과정에서는 많은 인내가 필요했다. 처음에는 귀를 막고 울기도 했지만, 점차 소리에 익숙해지며 불안을 줄여나갔다. 나는 민준이의 반응을 관찰하며, 자극의 강도와 빈도를 조절해 나갔다. 이러한 과정을 통해 민준이는 자신의 한계를 조금씩 극복해 나갔다.

몇 달이 지나자, 민준이의 변화는 눈에 띄게 나타나기 시작했다. 이제 다양한 감각 자극에 더 잘 적응할 수 있게 되었고, 일상생활에서의 불편함이 줄어들었다. 예전에 타지 않았던 놀이 기구에도 도전하며, 새로운 것을 시도하려는 의지가 보였다. 민준이의 자신감 넘치는 웃음은 나에게 큰 보람을 안겨주었고, 아동발달장애를 가진 아이들과 함께하는 감각통합치료는 나에게 큰 성취감을 느끼게 해주었다. 그리고 민준이와의 만남은 나에게 있어 단순한 치료를 넘어, 인간적인 교감과 성장의 시간이 되었다. 나는 그 작은 손을 잡고 함께 걸어온 시간들을 잊지 못할 것이다. 그리고 앞으로도 더 많은 발달장애 아동들에게 희망의 빛을 전할 수 있는 작업치료사가 되겠다고 다짐했다.

# PART 6

# 작업치료 궁금증

# 작업치료사의 전망은 어떤가요?

　작업치료사의 전망은 국내뿐 아니라 전 세계적으로 긍정적이다. 전 세계적으로 고령화가 진행됨에 따라, 노인 인구가 증가하고 있다. 고령화 인구는 건강 관리와 일상 생활의 독립성을 유지하기 위해 작업치료의 필요성이 커지고 있다. 특히 노인들은 신체적, 인지적 기능의 저하로 인해 일상 생활에서의 어려움을 겪을 가능성이 높기 때문에 작업치료사의 역할이 더욱 중요해지고 있다.

　현대 사회에서는 만성 질환과 장애를 가진 사람들의 수가 증가하고 있고, 당뇨병, 심장병, 뇌졸중, 그리고 정신 건강 문제 등 만성 질환을 가진 환자들은 일상 생활에서 다양한 어려움을 겪는다. 이러한 환자들을 돕기 위해 작업치료사의 수요가 증가하고 있다. 작업치료사는 이들의 생활 수준을 향상시키고, 독립적인 삶을 유지할 수 있도록 돕는다.

　재활 서비스의 필요성도 작업치료사의 전망을 밝게 만드는 요소 중 하나이다. 작업치료사는 사고나 수술

후 회복 과정에서 중요한 역할을 한다. 재활 프로그램을 통해 환자들이 일상생활로 복귀할 수 있도록 돕고, 신체적 기능을 회복하는 데 기여한다. 또한 정신 건강 문제에 대한 인식과 치료의 중요성이 증가하면서, 정신 건강 분야에서도 작업치료사의 역할이 강조되고 있다. 작업치료사는 정신 건강 문제를 겪는 환자들이 사회적, 직업적 기능을 회복하고 유지할 수 있도록 돕는다. 이는 작업치료사의 직업적 전망을 더욱 밝게 만드는 요소이다.

작업치료사는 병원, 클리닉, 학교, 요양원, 재활 센터, 지역사회 보건센터 등 다양한 환경에서 일할 수 있다. 이러한 다양한 직업 환경은 작업치료사의 고용 기회를 넓혀준다. 작업치료사는 높은 수준의 전문성을 요구하는 직업이다. 이는 작업치료사들이 지속적으로 자신의 역량을 개발하고, 최신 치료 기법과 지식을 습득할 필요가 있다.

기술의 발전 또한 작업치료사의 역할을 확장시키고 있다. 예를 들어, 가상현실(VR)과 증강현실(AR)을 활용한 치료법은 환자들에게 더 몰입감 있는 재활 경험을 제공할 수 있다. 또한 로봇공학과 인공지능(AI) 기술을 활용한 재활 기기와 보조 장비는 작업치료사들이 환자의 회복을 더욱 효과적으로 도울 수 있게 한다. 이러한 기술적 발전은 작업치료사의 업무 범위를 넓혀줄 것으로 기대한다.

전반적으로 작업치료사의 전망은 매우 긍정적이다. 고령화로 인한 노인 인구의 증가, 만성 질환과 장애의 증가, 재활 서비스의 필요성, 정신 건강 서비스의 확대 등 여러 요인들이 작업치료사의 수요를 증가시키고 있다. 또한 다양한 직업 환경과 지속적인 교육을 통해 작업치료사는 높은 직업 안정성과 만족도를 유지할 수 있다.

# 작업치료와 물리치료의 차이점은 무엇인가요?

작업치료와 물리치료는 재활이라는 큰 테두리안에 같이 있지만 업무 범위는 다르다. 작업치료는 환자가 일상생활 활동과 직업 활동을 독립적으로 수행할 수 있도록 돕고 신체적, 정신적, 사회적 기능의 회복과 향상을 목표로 한다. 치료적 접근방법은 일상생활활동을 중심으로 한 기능적 접근을 한다. 예를 들어, 옷 입기, 요리, 청소, 직업 활동 등의 실제 생활에서 필요한 기술을 훈련한다. 또한 환자의 개인적 목표와 생활 환경을 고려하여 맞춤형 치료 계획을 수립한다. 주요 치료 내용은 일상생활활동 훈련으로 자가 관리, 가사 활동, 여가 활동 등이 있고, 기억력, 주의력, 문제해결 능력 등의 인지훈련, 감각 자극에 대한 적응과 반응을 향상시키기 위한 감각통합 치료, 보조기구나 적응기구를 사용하여 활동을 수행하는 재활 훈련 등이 있다.

물리치료는 신체 기능의 회복과 통증 완화를 통해 운동 기능을 개선하고 환자의 이동성을 향상시키고 근골격계, 신경계, 호흡기계 문제를 해결하고 예방한다. 치료적 접근방법은 주로 신체 기능과 운동 능력에 집중하여 치료하고, 손상된 부위나 기능을 직접적으로 재활하는 접근 방식을 사용한다. 치료 내용은 운동 치료. 전기 치료, 도수치료, 기능적훈련 등이 있다. 작업치료와 물리치료는 비슷해 보이지만 치료적 행위가 다르다. 하지만 두 치료의 목표는 재활 치료를 통한 환자의 기능적 회복으로 동일하기 때문에 서로 상호 보완적이다.

# 작업치료사는 어떤 환자들을 주로 치료하나요?

 작업치료사는 다양한 유형의 환자들을 치료하며 주로 신경계, 근골격계, 소아장애, 정신건강 장애, 노인질환 등의 대상자를 치료한다.

- **신경계 질환 환자**
- ・뇌졸중: 편마비, 언어장애, 인지장애 등을 겪는 환자
- ・척수손상: 사지마비, 하지마비 등을 겪는 환자
- ・뇌손상: 인지 기능, 운동 기능, 감정 조절에 문제가 있는 환자
- ・파킨슨병: 운동기능 저하와 일상생활수행 능력이 감소된 환자
- ・다발성 경화증: 신경계의 광범위한 문제로 일상생활 활동에 어려움을 겪는 환자

- **근골격계 질환 환자**
- ・관절염: 관절의 통증과 움직임 제한을 겪는 환자
- ・골절 및 외상: 부상 후 일상생활 복귀를 위한 기능

회복이 필요한 환자

· 근육질환: 근육 약화와 운동 기능 저하를 겪는 환자


■ 소아 환자

· 발달장애: 자폐 스펙트럼 장애(ASD), 주의력 결핍 과잉 행동 장애(ADHD) 등을 가진 환자

· 신경학적 질환: 뇌성마비, 다운증후군 등의 장애를 가진 환자


■ 정신건강 환자

· 우울증: 일상생활의 동기와 참여도가 낮은 환자

· 조현병: 일상생활 활동과 사회적 상호작용에서 어려움을 겪는 환자

· 불안장애: 일상생활에서 불안과 스트레스로 인한 기능 저하가 있는 환자


■ 노인 환자

· 치매: 알츠하이머 병과 같은 인지 기능 저하를 겪는 환자

- 노화 관련 기능저하: 일반적인 노화로 인한 일상생활활동의 어려움을 겪는 환자

■ 기타 환자
- 암 환자: 치료과정에서 일상생활 기능 유지 및 향상을 위한 지원이 필요한 환자
- 만성질환 환자: 당뇨병, 만성폐쇄성폐질환 등의 만성질환으로 일상생활에 어려움을 겪는 환자

# 작업치료사는 어떤 성격의 사람에게 적합한 직업인가요?

작업치료사는 다양한 사람들과의 상호작용을 하기 때문에 기본적인 소통 능력이 요구된다.

· 공감 능력: 환자의 상황을 이해하고 그들의 감정을 공감할 수 있는 능력은 매우 중요하다. 작업치료사는 환자와의 신뢰 관계를 형성하고 그들의 필요를 잘 파악해야 한다.

· 인내심: 회복을 위한 치료 기간은 많은 시간이 필요하고, 환자의 회복 속도는 느릴 수도 있다. 인내심을 가지고 꾸준히 환자를 치료할 수 있는 능력이 필요하다.

· 의사소통 능력: 환자, 가족, 다른 의료 전문가들과 효과적으로 소통할 수 있는 능력은 필수적이다. 명확하게 설명하고 경청하는 능력이 중요하다.

- 창의성: 각 환자에게 맞는 맞춤형 치료 계획을 세우기 위해 창의적이고 유연한 사고가 필요하다. 다양한 접근법을 시도하고 문제를 해결할 수 있어야 한다.

- 협력적 태도: 작업치료사는 팀의 일원으로서 다른 의료 전문가들과 협력하여 최상의 치료를 제공해야 한다. 협력적인 태도와 팀워크가 중요하다.

- 자기관리 능력: 작업치료사는 스트레스를 잘 관리하고 자신의 건강을 유지해야 한다. 자기 관리를 잘해야 환자에게도 긍정적인 에너지를 전달할 수 있다.

MBTI(Personality Type Indicator) 기준으로 볼 때, 작업치료사로 적합한 성격 유형은 주로 INFJ, ENFJ, ISFJ, ESFJ와 같은 유형이다. 이 유형들은 대체로 사람 중심의 직업에 잘 맞는 특성을 가지고 있다.

- INFJ (선의의 옹호자)
- 특성: 이상주의적이고, 깊이 공감하며, 다른 사람의 필요를 잘 이해한다. 창의적이고 통찰력이 있으며 사람들의 잠재력을 최대한 끌어내는 것을 즐긴다.
- 작업치료사로서의 장점: 환자의 감정과 필요를 잘 이해하고, 개별화된 치료 계획을 세우는 데 뛰어나다. 창의적이고 새로운 방법을 찾는 데 능숙하다.

- ENFJ (정의로운 사회운동가)
- 특성: 사람을 돕고자 하는 강한 열망이 있으며, 타인의 감정을 잘 이해하고, 리더십이 뛰어나다. 적극적이고 외향적이며, 팀워크를 중요시한다.
- 작업치료사로서의 장점: 환자와 좋은 관계를 형성하고, 치료 과정에서 동기부여를 제공하는데 뛰어나다.

팀워크 환경에서 특별한 문제없이 다양한 의료 팀과 협력할 수 있다.

- ISFJ (용감한 수호자)
- 특성: 책임감이 강하고, 섬세하며, 다른 사람을 돌보는 데서 기쁨을 느끼고 세부 사항을 잘 챙기고, 헌신적이다.
- 작업치료사로서의 장점: 환자에 대한 세심한 배려와 꾸준한 지원을 제공하며, 세밀한 관찰과 기록으로 치료 효과를 극대화할 수 있다.

- ESFJ (사교적인 외교관)
- 특성: 외향적이며, 사교적이고, 타인의 감정에 민감하고 사람들과의 상호작용을 즐기며 실질적인 도움을 주고자 한다.
- 작업치료사로서의 장점: 환자와의 신뢰 관계를 형성하는 데 능숙하며 팀 환경에서 협력하는 것을 즐긴다. 환자를 돕기 위해 적극적으로 노력한다.

# 작업치료사의 연봉은 어느 정도인가요?

작업치료사의 연봉은 국가와 지역, 경력, 근무 기관에 따라 다양하게 달라진다. 일반적인 범위와 주요 국가별 평균을 살펴보면 다음과 같다.

- 대한민국
- 초기 연봉: 약 2,800만 원에서 3,500만 원 사이
- 중견 연봉: 약 3,500만 원에서 4,500만 원 사이
- 경험 많은 전문가: 약 4,500만 원에서 7,000만 원 이상

- 미국
- 초기 연봉: 약 7,800만 원에서 9,750만 원
- 중견 연봉: 약 9,750만 원에서 1억 1,700만 원
- 경험 많은 전문가: 1억 1,700만 원에서 1억 3,000 만 원 이상

- 캐나다
- 초기 연봉: 약 4,900만 원에서 6,370만 원
- 중견 연봉: 약 6,370만 원에서 7,840만 원
- 경험 많은 전문가: 약 7,840만 원에서 9,800만 원 이상

- 호주
- 초기 연봉: 약 5,100만 원에서 6,375만 원
- 중견 연봉: 약 6,375만 원에서 7,650만 원
- 경험 많은 전문가: 약 7,650만 원 이상

이 정보는 일반적인 범위를 나타내며 개별 상황 및 근무 기관에 따라 다를 수 있다. 정확한 연봉 정보를 얻기 위해서는 지역별, 기관별 조사를 통해 최신 정보를 확인하는 것이 좋다.

# 작업치료사 취업은 잘 되나요?

 작업치료사의 취업 전망은 밝은 편이다. 작업치료학과 졸업 후 대학 평균 취업률은 90% 이상이다. 아래와 같은 여러 요인들이 작업치료사의 수요를 높이고 있다.

■ 인구 고령화

 대한민국은 급격한 인구 고령화를 겪고 있다. 이에 따라 노인 인구의 건강 관리와 재활 서비스에 대한 수요가 증가하고 있다. 작업치료사는 노인들의 일상생활 활동을 개선하고 자립을 돕는 데 중요한 역할을 한다.

■ 만성 질환 및 장애 인구 증가

 만성 질환과 장애를 가진 인구가 증가하면서 재활 및 치료 서비스의 필요성이 높아지고 있다. 작업치료사는 이러한 환자들에게 맞춤형 재활 프로그램을 제공하여 일상생활의 질을 향상시키는 데 기여한다.

- 다양한 근무 환경

작업치료사는 병원, 재활 센터, 아동발달센터, 노인복지시설, 학교, 보건소, 산업체 등 다양한 곳에서 근무할 수 있다.

- 정책적 지원

정부는 장애인 복지 및 재활 서비스에 대한 지원을 강화하고 있다. 이에 따라 작업치료사의 역할이 중요해지고, 관련 일자리도 증가하고 있다.

대한민국에서 작업치료사의 취업 전망은 매우 긍정적이다. 인구 고령화와 만성 질환 증가, 다양한 근무 환경과 정부의 정책적 지원 등 여러 요인들이 작업치료사의 수요를 높이고 있다.

# 작업치료사로 일하면서 가장 많이 겪는 어려움은 무엇인가요?

 작업치료사로 일하면서 몇가지 어려움이 있을 수 있다. 먼저, 환자와 그 가족의 기대치에 충족시키는 일이다. 많은 환자와 가족들은 작업치료가 빠른 결과를 가져올 것이라고 기대하지만 현실적으로는 장기적인 재활 과정이 필요할 때가 많다. 이는 치료 목표를 설정할 때 환자의 개별적인 상태와 필요에 따라 현실적이고 달성 가능한 목표를 설정해야 한다는 점에서 어려움을 겪을 수 있다. 가족이나 환자의 기대와 차이가 있을 때 이를 조율하는 것도 중요한 과제이다.

 또한 작업치료사는 영유아부터 노인까지 다양한 질환의 환자를 대상으로 치료를 제공해야 하기 때문에 각 질환별로 필요한 접근 방식과 치료 방법이 달라진다. 이러한 다양한 질환을 관리하는 것은 상당한 기술과 경험을 요구한다. 심리적 부담 역시 중요한 문제이다. 장기적인 치료 과정을 통해 환자와 깊은 유대 관계를 형성하게 되며, 환자가 회복하지 못하거나 상태가 악화

될 때 심리적으로 큰 부담을 느낄 수 있다. 여러 환자를 동시에 관리하고 다양한 치료 계획을 세우는 과정에서 발생하는 스트레스도 효과적으로 관리해야 한다. 행정적 업무도 작업치료사에게 부담이 된다. 치료 과정과 결과를 기록하고 보고서를 작성하는 등 행정적인 업무가 많으며, 이는 실제 치료에 할애할 수 있는 시간을 줄일 수 있다.

마지막으로, 작업치료사는 계속해서 자신의 전문성을 유지하고 발전시켜야 한다. 최신 치료 방법과 기술을 습득하기 위해 지속적인 교육과 훈련이 필요하며, 새로운 치료법 개발 및 효과 검증을 위한 연구에 참여하는 것도 중요하다. 이러한 어려움들은 작업치료사로서의 업무를 복잡하게 만들지만, 환자의 삶의 질을 향상시키기 위한 중요한 도전이다. 이를 극복하기 위해서는 지속적인 교육, 팀원들과의 협력, 그리고 자기 관리가 필수적이다.

# 작업치료사로서 가장 보람을 느끼는 순간은 언제인가요?

작업치료사로서 가장 보람을 느끼는 순간은 여러 가지가 있다. 가장 큰 보람은 환자들이 치료를 통해 삶의 질을 향상시키고 독립성을 되찾는 모습을 볼 때이다. 예를 들어, 뇌졸중 환자가 다시 걸을 수 있게 되거나, 손의 기능을 잃었던 환자가 다시 손을 사용해 일상적인 작업을 수행할 수 있게 되었을 때, 큰 성취감을 느낀다.

또한 환자와의 긍정적 관계를 형성하고 그들이 자신의 이야기를 공유하며 치료 과정을 함께 하는 순간들도 작업치료사로서 보람을 느끼는 중요한 부분이다. 환자들이 치료사에게 감사의 마음을 전할 때, 치료사는 자신이 환자의 삶에 긍정적인 영향을 미쳤음을 느낄 수 있다. 또한 장기적인 재활 과정을 거쳐 환자가 목표로 삼았던 직장에 복귀하였을 때, 치료사로서의 큰 성취감을 느낄 수 있다. 이러한 순간들은 환자와 함께 어려운 과정을 극복하고, 성취를 이룬 기쁨을 나누는 특별한 경험이 된다.

또 다양한 전문가들과 협력하여 환자의 전반적인 치료 계획을 세우고, 그 과정에서 환자의 상태가 개선될 때도 보람을 느낀다. 특히 다학제 팀 접근법을 통해 환자가 최상의 치료를 받는 것을 볼 때, 협력의 중요성을 실감하게 된다. 이러한 팀워크는 치료사에게 전문성과 협력의 가치를 다시 한번 되새기게 한다. 작업치료사는 주로 환자들이 치료를 통해 삶의 질이 개선되고, 독립적이고 만족스러운 삶을 살아 갈 때 큰 보람을 느낀다. 따라서 작업치료사는 사람의 인생을 재설계해주고 다시 사회 구성원으로서 독립적으로 살아갈 수 있도록 돕는 소중한 직업이다.

## 부록　주요 참고 사이트

- 대한작업치료사협회 http://www.kaot.org
- 보건복지부 https://www.mohw.go.kr
- 국립재활원 https://www.nrc.go.kr
- 중앙치매센터 https://www.nid.or.kr
- 대한신경계작업치료학회 http://www.ksnot.org
- 대한뇌신경재활학회 https://www.ksnr.or.kr
- 대한감각통합치료학회 http://www.kasiorg.org
- 한국정신보건작업치료학회 http://www.kamhot.org
- 한국수부치료학회 http://www.handtherapy.co.kr
- 대한지역사회작업치료학회 http://www.kcbot.co.kr
- 한국운전재활학회 http://www.ksdr.or.kr
- 한국노인작업치료학회 http://ksgot.org
- 고령자치매작업치료학회 http://www.otad.or.kr
- 한국작업과학회 http://kaos.re.kr
- 대한연하장애학회 https://www.kdys.or.kr
- 대한연하재활학회 http://www.dysphagia.co.kr
- 대한인지재활학회 http://www.cogsociety.org
- 대한아동학교작업치료학회 http://child.tium.co.kr
- 대한보조공학기술학회 https://ksat.kr
- 워크어빌리티학회 http://workability.webadsky.net